Davi Lago traz uma contribuição lú
para o atual debate político brasileir
pertinentes para evangélicos e não evangelicos.

Alderi Souza de Matos
Professor de História da Igreja na Universidade Mackenzie e
historiador oficial da Igreja Presbiteriana do Brasil

O livro de Davi Lago serve como um excelente ponto de partida para reflexões sobre o papel do cristão na arena pública moderna, em especial sua relação com a política.

Eliezer Martins Diniz
Professor de economia na FEA-RP/USP, pós-doutor em economia pela Universidade de Oxford

De cultura e quadro de referência assombrosos pela amplitude e profundidade, *Brasil polifônico* é um *tour de force* de inteligência e capacidade de reflexão. Um livro sobre o mundo que está em nossas mãos, aqui e agora. A ler e reler.

Leandro Oliveira
Compositor, anfitrião da Orquestra Sinfônica do Estado de São Paulo e articulista do jornal *Estado de S. Paulo*

Não é possível pregar o evangelho desconhecendo a cultura, e é essa cultura que o livro de Davi Lago apresenta de modo ímpar e erudito, em seis breves capítulos, que revelam o estado em que o Brasil se encontra, a partir de sua própria inserção na história da civilização ocidental e da influência que o Cristianismo teve e pode ter na sua constituição. No Brasil, especialmente neste momento de crise inaugurado com os protestos de 2013, os cristãos também são chamados a ser sal e luz. E, como cristãos, devemos responder com uma fé que busca entendimento (e por isso livros como este são tão importantes). Somos chamados a dialogar. Somos chamados a ser agentes de reconciliação, porque nosso Deus ama a reconciliação.

MARCELO CAMPOS GALUPPO
Professor da PUC-MG e da UFMG

Imprescindível, *Brasil polifônico* surge como uma bússola para a sociedade, revelando o caminho, o dever de casa e as vozes a serem ouvidas para avançarmos em meio aos muitos desafios vindouros.

MATHEUS LEITÃO
Jornalista, colunista do portal G1 e autor do
best-seller Em nome dos pais

Mais uma obra de excelência, escrita por um dos maiores teólogos públicos e pesquisadores da atualidade.

ROGÉRIO GRECO
Procurador de Justiça e penalista

DAVI LAGO

BRASIL POLIFÔNICO

OS EVANGÉLICOS E AS ESTRUTURAS DE PODER

Copyright © 2018 por Davi Lago
Publicado por Editora Mundo Cristão

Os textos das referências bíblicas foram extraídos da *Nova Versão Transformadora* (NVT), da Editora Mundo Cristão, salvo indicação específica. Usado com permissão da Tyndale House Publishers, Inc. Eventuais destaques nos textos bíblicos e citações em geral referem-se a grifos do autor.

Todos os direitos reservados e protegidos pela Lei 9.610, de 19/02/1998.

É expressamente proibida a reprodução total ou parcial deste livro, por quaisquer meios (eletrônicos, mecânicos, fotográficos, gravação e outros), sem prévia autorização, por escrito, da editora.

CIP-Brasil. Catalogação na publicação
Sindicato Nacional dos Editores de Livros, RJ

L175b

    Lago, Davi
    Brasil polifônico: os evangélicos e as estruturas de poder / Davi Lago. – 1. ed. – São Paulo: Mundo Cristão, 2018.
    208 p.; 21 cm.

    ISBN 978-85-433-0309-3

    1. Protestantes — Brasil – Atividades políticas – História. I. Título.

18-47861

CDD: 322.10981
CDU: 322

Categoria: Cristianismo e sociedade

Publicado no Brasil com todos os direitos reservados por:
Editora Mundo Cristão
Rua Antônio Carlos Tacconi, 79, São Paulo, SP, Brasil, CEP 04810-020
Telefone: (11) 2127-4147
www.mundocristao.com.br

1ª edição: abril de 2018

Para meu pai
Elienos Lago

SUMÁRIO

Agradecimentos	9
Apresentação	11
Prefácio	15
Introdução	19

1. Crise da Nova República, evangélicos e demagogia	33
2. Estado: Cristo redefine César	47
3. Direitos Humanos e Estado Democrático de Direto	73
4. Democracia: do Areópago à *Ekklesia*	93
5. Liberdade religiosa e laicidade: luzes da história para o Brasil	113
6. Fé, razão e diálogo	145

Conclusão	173
Notas	179
Sobre o autor	203

AGRADECIMENTOS

Aos meus pais, Elienos e Esmeralda, que me ensinaram a importância da sanidade e da santidade para contribuir com o Brasil.

A toda a minha família, Lago-Assunção.

À Editora Mundo Cristão por todo incentivo, investimento e cuidado comigo. Muito obrigado Mark Carpenter, Renato Fleischner, Maurício Zágari e toda a equipe.

A todas as amigas e todos os amigos que tornaram possíveis os desenvolvimentos das ideias deste livro: Dr. Alfredo Massi, pelo diálogo constante; Dr. Victor Breno Barrozo, pelo suporte bibliográfico da Universidade de Madrid e pelos conselhos preciosos; Dr. Kenner Terra, pelo refinamento da reflexão em filosofia da linguagem; Dr. Gedeon Alencar e Dra. Marina Correa, pela atualização conceitual em ciências da religião; Dr. Leopoldo Teixeira, pelo diálogo sobre novas tecnologias; meus amigos Fábio Chateaubriand e Daniel Lança, pelo incessante incentivo a pensar o Brasil; Alessandra Monteiro, pelo

10 BRASIL POLIFÔNICO

incentivo ao engajamento público; Dr. Giorgio Lacerda, pela atualização conceitual em história das mentalidades; Dr. Pedro Lucas Dulci, pelo diálogo constante sobre a solidez da reflexão calvinista para clarear o debate público; Dr. Heber Campos Jr., pelas aulas em cosmovisão e epistemologia reformada; Prof. Igor Miguel, pelo diálogo conceitual sobre os contornos da laicidade; Profa. Alexia Duarte, pelo estudo em liberdade religiosa na legislação americana contemporânea; ministra Delaíde Arantes pelo incentivo constante; e aos pastores que, além da amizade amorosa, me oferecem exemplos concretos de práxis pública: Armando Bispo, Jeremias Pereira, Estevam Fernandes, Ed René Kivitz e Alderi Souza de Matos.

A todas as brasileiras e todos os brasileiros que lutaram por um Brasil justo e jamais desistiram de dialogar com racionalidade e amor, em especial Dom Hélder Câmara (*in memoriam*), cujo exemplo de vida ativa e piedosa muito me inspira.

Eu, Natália e Maria agradecemos aos preciosos amigos que estão sempre perto de nós. A Neide e a dona Vera, que se tornaram nossa família.

A Deus, por eu ter nascido no Brasil, a Terra de Vera Cruz.

APRESENTAÇÃO

O Brasil vive dias bastante complexos. O país está polarizado, dividido, vitimado por tensões causadas por diferenças de visão políticas, ideológicas, religiosas, sociais, intelectuais. Essa polarização provocou, em especial com o advento das mídias sociais, um terremoto de grandes proporções no campo das opiniões, que abriu abismos enormes na sociedade brasileira entre setores que têm diferentes cosmovisões.

O brasileiro vive, hoje, imerso em debates, controvérsias, polêmicas, choques. As redes sociais, a mídia tradicional e as principais avenidas do país viraram palco de confrontos acalorados, num ambiente carregado pelos valores invertidos da pós-verdade. E, em meio a essa nuvem densa, um dos grupos que protagonizam grande parte do debate ideológico e moral são os evangélicos.

Cristãos descendentes da Reforma Protestante iniciada em 1517, os evangélicos são, em grande parte, mal compreendidos. Grupo extremamente heterogêneo e plural, é visto pelos de fora como uma massa única, intolerante, homofóbica, ignorante, retrógrada e identificada com outros adjetivos depreciativos. Nada mais longe da realidade. Essa percepção é fruto de uma generalização resultante, em grande parte, da falta de conhecimento acerca do que de fato é ser evangélico e da falta de convivência com evangélicos que vivem o que o evangelho de Jesus Cristo de fato propõe.

"Evangélico" é uma generalização que, hoje, é aplicada para cristãos que, muitas vezes, pensam de formas completamente diferentes, para não dizer diametralmente opostas. Há entre os evangélicos: tradicionais, pentecostais e neopentecostais; progressistas e conservadores; intelectuais e iletrados; fundamentalistas e liberais; adeptos da teologia da prosperidade e aqueles que consideram essa teologia uma heresia; entre uma infinidade de outras categorizações que os tornam muito distintos uns dos outros — desde aspectos doutrinários até costumes e valores. A realidade é que colocar toda a enorme variedade de tons do *dégradé* de evangélicos dentro do mesmo saco de estereótipos é como dizer que "homem é tudo igual" — simplesmente não condiz com a realidade.

Se é fato, sim, que há grupos de evangélicos midiáticos que constroem com suas posturas e palavras muros gigantescos que os separam dos não evangélicos, também é fato que a grande massa dos evangélicos é formada por pessoas de bem, amorosas, inteligentes, cultas e que agem no sentido de construir pontes com os demais atores da sociedade, em direção a objetivos comuns. Infelizmente, quem costuma aparecer no telejornal da noite não são esses.

O cristianismo protestante é uma fé totalmente sintonizada com os valores da tolerância, da razão, do amor, do diálogo aberto, da intelectualidade e do Estado Democrático de Direito. Se a sociedade se dispuser a conhecer e ouvir os evangélicos que estão além do estereótipo, verá que o evangelho de Jesus Cristo não é um pensamento *démodé* ou alienígena, mas que tem muito que contribuir para o bem da sociedade. A realidade é que os evangélicos têm imenso potencial e amplas qualidades necessárias para ajudar a construir um Brasil tolerante, ético e avançado. Porém, é preciso conhecê-los, compreendê-los e abrir-se a tudo de bom que há nos verdadeiros seguidores de Cristo.

Davi Lago é um exemplo de evangélico que pode contribuir muito para a melhoria de nosso país. Esse jovem pastor, dono de um coração piedoso, é também um intelectual extremamente preparado para dialogar com uma sociedade que enxerga o evangélico somente como a sombra de uma velha caricatura. Davi tem a capacidade de mostrar quão distante o verdadeiro evangélico está dos estereótipos.

É justamente por acreditar no potencial de Davi para construir pontes com a sociedade extraevangélica que a Editora Mundo Cristão investe na publicação desta obra. Acreditamos que o Brasil só tem a ganhar se cada um conseguir caminhar pela ponte dialógica que Davi e tantos outros evangélicos capacitados para debates enriquecedores estendem ao longo das páginas deste livro e em tantos outros fóruns de debate, da mídia aos polos de reflexão intelectual da academia.

Convidamos você a despir-se de preconceitos, a colocar de lado adjetivos depreciativos com os quais costuma classificar os evangélicos e a esquecer pela duração da leitura deste livro de qualquer personagem dito evangélico que tenha causado má impressão no passado, para que possa conhecer um pouco melhor quem de fato é, em que acredita e o que pode fazer para a grandeza do Brasil esse grupo de pessoas que têm, em comum, o valor maior da espécie humana: o amor.

Boa leitura!

MAURÍCIO ZÁGARI
Editor

PREFÁCIO

Mikhail Bakhtin, o importante hermeneuta da cultura, em sua obra *Problemas da poética de Dostoiévski* fez da expressão *polifonia* um lugar comum para compreensão do gênero romance e, por sua vez, contribuiu com a popularização desse heurístico e belo conceito. O "polifônico", como instrumento de análise, permite ao pesquisador das humanidades vencer à míope perspectiva monolítica e unívoca da realidade, livrando-o do uso de lentes embaçadas, as quais o fazem perder de vista a pluralidade e a polissemia dos textos da cultura.

Se, para o intelectual russo, o "polifônico" tem a ver com a multiplicidade de vozes coexistentes ao lado do narrador, nas ciências das sociedades o termo anuncia a "unidade plural" do mundo, recupera a presença do outro e suas alteridades, exige o reconhecimento dos saberes e das práticas da sociedade à luz das relações dialógicas e preserva a importância das trocas e contribuições recíprocas.

16 BRASIL POLIFÔNICO

Dito isso, estamos certos de que o título deste livro não é inocente ou despretensioso. Podemos afirmar que a obra *Brasil polifônico: Os evangélicos e as estruturas de poder* segue o paradigma intelectual bem estabelecido e anuncia, desde seu epíteto, os pressupostos de sua análise — e, por sua vez, o lugar do qual deseja pensar o Brasil.

Davi Lago, corajosamente, aceitou o desafio de lidar com o escorregadio e complexo conceito de polifonia para avaliar a realidade brasileira, a história da formação de seus imaginários e as múltiplas expressões ideológicas, tornando sua descrição e análise uma belíssima proposta de compreensão das estruturas socioeconômicas e do seu funcionamento no Brasil. Como um exímio perscrutador da cultura, utilizando-se de teorias importantes, geradas e geridas na virada linguística, o pastor batista discute sobre as contribuições da fé cristã nesse dinâmico, multiforme e complexo mapa cultural brasileiro.

O leitor não deixará de perceber a agudeza e a sensibilidade das linhas *polifônicas* dessa obra *brasileira* e, ao mesmo tempo, espantar-se com elas. Com paixão e primor, conceitos desgastados pelo senso comum são retomados e ganham horizontes historicamente mais precisos. Termos como "evangélico", "protestante", "democracia", "política", "igreja" e outros são avaliados com muito cuidado. Consequentemente, perspectivas superficiais vão sendo diluídas aos poucos, permitindo aos leitores e às leitoras refazerem caminhos e aguçarem a análise de mundo. Esse percurso não é o mais fácil, porque exige o diálogo com teóricos e, também, preconceitos já estabelecidos. Como consequência, sua leitura gera um misto de prazer estético e estupefação.

Quem conhece o autor sabe do longo processo de gestação deste livro. Boas obras surgem assim, quando escritas com

Prefácio 17

sangue: "escreve com sangue e aprenderás que sangue é espírito" (Nietzsche). Carlos Drummond de Andrade advertiu, em *Procura da poesia*, sobre a necessidade de conviver com os versos antes de escrevê-los. *Brasil polifônico* é resultado de anos de intuições, discussões e convivências, e vem em um tempo de maturidade ministerial e intelectual.

As andanças de Davi Lago pelas *terras brasilis*, os diálogos com importantes articuladores da criatividade nacional, os contatos com lideranças e suas leituras ficam evidentes na obra. Como resultado, o autor consegue o equilíbrio necessário para valorizar a pluralidade e apontar seus desafios, especialmente a fim de pensar a atuação da Igreja. Permitindo-se transitar na escorregadia fronteira, Lago não é levado por relativismos rasos ou inflexibilidades ingênuas. Quando ele esclarece o objetivo da obra, aponta o frutífero horizonte: "nosso objetivo não é fazer uma colagem de clichês rasos sobre temas desbotados ou apresentar mais uma teorização inócua sobre qual é a categorização e a nomenclatura ideal para se referir aos 'evangélicos'".

Então, para falar da presença pública da Igreja em terras brasileiras, a obra, antes de qualquer coisa, descortina o Brasil e lê sua história. Em poucas e densas páginas, nossa cultura é descrita e, por sua vez, valorizada. Depois disso, com um caminho metodológico muito claro, os atuais desafios são interpretados e suas estruturas de funcionamento são expostas. Esse caminho impõe a necessidade da averiguação histórica, por meio da qual é possível perceber a humanidade em conjunto, como fenômeno universal, cujos instrumentos e desafios são ao mesmo tempo tramas historicamente situadas e antropologicamente comuns. Assim, e somente assim, é possível fazer

18 BRASIL POLIFÔNICO

teologia respondendo a perguntas geradas nas entranhas mais profundas das múltiplas expressões nacionais. Não seria diferente para quem deseja seguir a tradição dos evangelhos. A perspectiva da encarnação exige do pastor da cultura ou teólogo da vida ter os pés na poeira das ruas e da história, a fim de discernir as tramas sociais, o que lhe facilitará o diálogo com consistência.

Sem dúvida, o Brasil vive dilemas difíceis. Por isso, o desafio maior e anterior a qualquer ação da igreja está na capacidade de discernimento. As demandas da esfera pública precisam provocar sérias, inteligentes e inteligíveis reflexões teológicas. Se não for assim, patinaremos em respostas a perguntas não feitas, produzindo discursos de fé sem qualquer incidência sobre a realidade. Mais do que nunca, é urgente a *fides intelligentes* ("fé inteligente").

Em tempos de tantas incertezas políticas, polaridades ideológicas e brigas midiáticas, esta obra, seguindo de perto refinadas e atuais pesquisas, disponibiliza reflexões e propostas objetivas de diálogo. Assim, Davi Lago, com segurança, valoriza o Estado Democrático de Direito, retoma o melhor da tradição protestante e propõe caminhos sólidos para a presença da fé em nossa nação insuperavelmente plural.

Brasil polifônico: Os evangélicos e as estruturas de poder vem para ocupar importante espaço na Teologia Pública brasileira.

KENNER TERRA
Mestre e doutor em Ciências da Religião

INTRODUÇÃO

Estamos no Brasil, na aurora do 21º século depois de Cristo.

Em tempos como estes, devemos nos lembrar de que sempre existiram tempos como estes. A sociedade global vivencia as imemoriais agruras de fome, peste, guerra e morte. Os seres humanos prosseguem com os antigos anseios de fraternidade, igualdade, liberdade, fé, esperança e amor. Permanecem ainda lágrimas e sorrisos, enxadas e espadas, presídios e hospitais, berços em maternidades e covas em cemitérios. As pessoas continuam comendo, bebendo, casando e se dando em casamento.

Em tempos como estes, devemos nos lembrar de que nunca existiram tempos como estes. Vivenciamos a era da escalada técnico-científica, da explosão demográfica, da sobrecarga cognitiva, da sociedade em rede, das teorias da incerteza, da aceleração do tempo. A cada segundo, abrem-se novas realidades, antes inimagináveis: clonagem, GPS, nanorrobótica, drones de guerra. O tempo teve um antes e tem um hoje; talvez tenham um amanhã.

Todo dia é igual porque a Terra sempre dá uma volta em torno de seu próprio eixo. Haverá manhã, tarde e noite. Todo dia é diferente porque um fluxo linear de atividades únicas se sucede debaixo do céu. O mesmo ocorre com os séculos: são sempre iguais, são sempre diferentes. Nada garante que as coisas continuarão a acontecer como acontecem, tampouco que cada átomo continuará a se comportar como se comporta.

O século 20 cumpriu seu papel e os seres humanos mostraram uma vez mais a que vieram. Embebidos das crenças iluministas de progresso, positivismo e autonomia, as gentes de todos os continentes entraram em conflitos sem precedentes em termos de destruição. No fim, o cômputo dos anos 1900 resultou na velha ambivalência: as pessoas foram capazes de feitos inacreditáveis — como a corrida espacial — e, também, de abominações — como as duas grandes guerras.

Por um lado, em cerca de noventa anos o homem saiu da luz de velas e foi à Lua: de 1879, com a invenção da lâmpada elétrica de longa duração por Thomas Edison, para 1969, com a alunagem da Apollo 11. Foi o século do conhecimento, da reprodutibilidade técnica das obras de arte, do *jazz*, da internet. Século de Chaplin, Callas, Gandhi, Curie, Chanel, Mandela. Por outro lado, foi o século da *blitzkrieg*, do *napalm*, do extermínio sistemático de pessoas em câmaras de gás, de impiedosas bombas termonucleares, de genocídios com armas químicas e biológicas. Século de Hitler, Mussolini, Stalin, Mao.

Depois do cataclismo da Segunda Guerra Mundial e das demais desordens do século 20, seguiu-se um fluxo de mal-estar da civilização. Vieram filosofias impregnadas de óbvios ceticismos, ironia nas artes e a construção de mitos autodestrutivos no cinema, na contracultura, no *show business*.

A pós-modernidade foi anunciada, não tanto como superação, mas como um buraco negro existencial oriundo do não cumprimento das promessas iluministas. Mas as inclinações e as premonições ultrapessimistas não vingaram: o mundo continuou mundo e as pessoas continuaram pessoas, com tudo de bom e ruim que isso possa implicar. As previsões distópicas de George Orwell não se concretizaram, pelo menos não do modo explícito de *1984*. E o século 21 nasceu.

A sociedade hipercomplexa

Os primeiros anos do século 21 viram a intensificação de tudo. Somos hoje mais de sete bilhões de pessoas interconectadas, falando, palpitando, propondo e discordando. Nossos *smartphones* têm processadores mais potentes que os da missão Apollo. Fotografias tornaram-se uma nova forma de linguagem. Os poderes das grandes mídias foram fatiados, uma vez que qualquer pessoa agora pode entrar ao vivo para uma transmissão da própria vida nas mídias digitais. Os indivíduos se tornaram produtores e distribuidores de seu próprio conteúdo. É um tempo de hiperabundância de dados e informações.

O psicólogo e neurocientista americano Daniel J. Levitin escreveu, em 2015:

> A quantidade de informação científica que descobrimos nos últimos vinte anos é maior do que todas as descobertas até então, desde o surgimento da linguagem. Só em janeiro de 2012 foram produzidos cinco exabytes (5×10^{18}) de novos dados — isso representa 50 mil vezes o número de palavras em toda a Biblioteca do Congresso dos Estados Unidos.[1]

O sociólogo espanhol Manuel Castells, conhecido por seus estudos acerca das consequências dessa explosão de informações com impactos locais e globais, afirma que está em curso uma revolução centrada nas tecnologias da informação que reconfigura a base material da sociedade num ritmo acelerado.[2] Muitas outras vozes contemporâneas tentam compreender o que está acontecendo. Os títulos dos livros falam por si: *A era do inconcebível*, de Joshua Cooper Ramo;[3] *Mundo em descontrole*, de Anthony Giddens[4] e *A cultura-mundo: Resposta a uma sociedade desorientada*, de Gilles Lipovetsky e Jean Serroy.[5] Lipovetsky, inclusive, é o filósofo que indagou: "Hipercapitalismo, hiperclasse, hiperpotência, hiperterrorismo, hiperindividualismo, hipermercado, hipertexto — o que mais não é hiper?".[6]

Nossa sociedade foi reestruturada com as novas tecnologias da informação, da comunicação e dos transportes e se tornou hiperveloz, caracterizada por imediatismo, instantaneidade, furo de reportagem, afã pela acessibilidade direta e comercialização ininterrupta de produtos *on-line*. As amizades, que antes eram pontuais, passaram a se desenvolver em fluxo contínuo de imagens, recados, *links* e *memes*, compartilhados à exaustação em mídias sociais digitais. O *sleep mode* passou a ser a exceção.

Movimentos de contravelocidade também irromperam nesse período, em reação aos exageros da aceleração, tais como os que defendem os conceitos de *slow food*, *slow parenting*, *slow trips*, *slow journalism*. Do mesmo modo, nota-se um retorno ao "artesanal", em contraposição ao "industrial". As pessoas procuram pães artesanais, sabonetes artesanais e sucos orgânicos. O déficit de afeto é preenchido com o comércio das "experiências". É simplesmente o outro lado do mesmo sistema de consumo.

O faturamento de tudo isso em dólares, euros e *bitcoins* permanece nas mãos de elites internacionais visíveis e invisíveis. O estrato social permanece inamovível, como demonstra a impressionante estatística da Oxfam International, confederação que atua em mais de cem países na busca de soluções para o problema da pobreza e da injustiça: as oito pessoas mais ricas do mundo têm juntas mais dinheiro que os 3,6 bilhões de indivíduos mais pobres.[7] Os trabalhadores assalariados dos séculos 19 e 20 se transformaram nos eternos endividados e desempregados do século 21.

Pela primeira vez, as causas principais das doenças não são bacteriológicas ou virais, mas neuronais. Vivemos um tempo de pessoas estressadas, exaustas, ansiosas. Não é por acaso que já surge a constatação de que estamos em uma "sociedade do cansaço", como afirma o teórico e acadêmico sul-coreano Byung-Chul Han: "Doenças neuronais como a depressão, o transtorno de déficit de atenção com síndrome de hiperatividade (TDAH), o transtorno de personalidade limítrofe (TPL) ou a Síndrome de Burnout (SB) determinam a paisagem patológica do começo do século 21".[8]

Nosso tempo é fluido, volátil, imprevisível, expansivo, efêmero. As mutações são incessantes e ligeiras. Vivemos o tempo da total pulverização do saber. Desse modo, pensar por meio de "redes" passou a ser inevitável. É um dos modos mais simples de estarmos integrados diante da aguda especialização científica. Tanto nas esferas do pensamento como em qualquer outra área é preciso estar conectado, como bem demonstram os espaços de *coworking*, as cadeias de consumo, os clubes de assinaturas, os *feeds* de notícias e os serviços de *streaming*.

Não posso ler todas as notícias, então leio o *clipping*. Proliferam *fake news* e eu não tenho tempo de checar todas as informações, portanto, checo o que a agência de *fact checking* checou para mim. Mas, de um jeito ou de outro, estarei conectado. Fora da conexão e do esforço para estar em alguma rede, o sujeito se sente completamente à mercê do descompasso, da inadequação social e dos demais riscos inerentes a uma era fragmentada. Afinal, com a velocidade de nossos dias da circulação de informações, bens, serviços e pessoas, nosso tempo tornou-se palco de *dessincronias* de mentalidades, relações e informações.

Mentalidades dessincronizadas

A velocidade de circulação de informações, coisas e pessoas leva ao desencontro de informações. O menino chega em casa e diz: "Mãe, apanhei na escola". A mãe responde: "Eu sei, filho, já vi no YouTube". A dessincronia familiar já havia sido percebida pelo sociólogo e filósofo francês Jean Baudrillard, que reparou no aumento dos objetos pessoais e novos aparelhos eletrodomésticos: o jovem não precisa mais esperar seus pais lhe darem comida, ele mesmo esquenta o jantar no microondas; não há mais somente um carro, uma televisão, um telefone na casa, mas cada membro da família tem seu próprio meio de transporte, sua própria tela no *smartphone*. [9]

Esse fenômeno de *dessincronização* ocorre em escala maior com as próprias noções de "racionalidade". Há várias racionalidades em circulação. Em nosso tempo coexistem pessoas com "modos de pensar" que seguem a cartilha estabelecida no Ocidente como resultado de uma sequência: Antiguidade, Idade Média, Idade Moderna, incluído os reivindicados "pós-modernos". Ou seja, a cartilha aponta ideias que "enquadram" a complexidade da realidade e da história humana em certames conceituais.

A praxe ocidental diz que antes havia apenas os povos "pré-históricos", animistas, com narrativas orais lendárias, míticas, para as coisas. Mas veio a escrita, a "história" e a sistematização de conhecimentos e de técnicas diversas. O período clássico é o do "milagre grego", segundo o qual os homens passaram a interpretar as coisas a partir das próprias coisas. Nasceu a filosofia, a democracia, a aritmética euclidiana. O mundo era compreendido como um lugar estático, com cada coisa tendo sua essência e seu lugar no cosmos. Cada pessoa era entendida como membro de um corpo social maior, sendo o todo mais importante que as partes. Os "medievais" travestiram de "cristãs" as conquistas greco-romanas, adicionando seus particulares fundamentos teológicos. O "direito divino dos reis" justificava a hierarquia da sociedade feudal.

Mas, ainda segundo a padrão ocidental, os "modernos" mudaram tudo. O indivíduo passou a ser a medida de todas as coisas e a sociedade, a ser compreendida não como um fato biológico ou divino, mas o artificial fruto da vontade humana. Abriram-se as portas aos renascentistas, reformadores e iluministas. O período do "esclarecimento" seria a era da "razão", da verdade absoluta e das revoluções políticas, científicas, tecnológicas que emancipariam o homem. O triunfo seria o único desfecho possível. Mas tudo acabou mal, pois guerras e mais guerras destruíram tudo que havíamos construído. Então surgiram "pós-modernos": o mundo acabou, não existe nada, nada faz sentido. Sobraram apenas sexo, drogas e *rock'n roll*.

Essas concepções e esses entendimentos com a suposta linearidade da cartilha ocidental não são mais unanimidade.

Esse esquema não dá conta de explicar a densidade de realidade. Há várias racionalidades e cada pessoa tem uma racionalidade com características únicas. Hoje se percebe que todas as concepções de vida, mundo, sociedade, presente, passado e futuro existem simultaneamente. Na era contemporânea, as obras de figuras antes consideradas "hereges", "dissidentes" ou "heterodoxas" pela própria tradição ocidental são hoje relidas, revisadas, reapreciadas. Diferentes racionalidades são consideradas, incluindo os modos de pensar do Oriente e também dos ameríndios, dos árabes, dos africanos, dos aborígenes.

Na contemporaneidade, se percebe inclusive que nós mesmos não somos totalmente coerentes e não podemos ser encaixados num quadradinho explicativo. Uma mesma pessoa pode utilizar lógicas e modos de pensar completamente distintos, dependendo de situação e contexto. A neurociência aprofundou nossa compreensão do cérebro humano, a globalização permitiu maior intercâmbio entre as culturas, a inteligência artificial revolucionou nosso conhecimento sobre a consciência humana. Este tempo não admite mais respostas simplistas, estilhaçadas, falaciosas.

Não podemos responder às questões atuais de modo descuidado, com ares de superioridade, empáfia, arrogância. A posição do "dono da verdade" ou "sócio majoritário da verdade" não mais existe nos âmbitos científicos. Desde o filósofo da ciência austríaco Karl Popper,[10] em meados do século 20, o caráter de provisoriedade e precariedade do conhecimento científico é mais bem compreendido pela comunidade acadêmica.

Neste início de século 21, não é necessário entrar nos meandros técnico-teóricos da questão. Nesta sociedade hipercomplexa, podemos concluir que os conhecimentos são sempre precários e provisórios apenas olhando à nossa volta. As descobertas científicas são aceleradíssimas, o que deixa evidente que "palavras finais" acerca de qualquer questão não são prudentes. Estamos, de fato, numa era de conhecimentos precários e provisórios, com o advento de uma "turbociência".

A razão humilde

É necessário aprender, então, a filtrar o que ouvimos e reter o que é bom. Essa atitude sempre valeu para nosso dia a dia e hoje está no centro do debate nas teorias da história, da linguagem e da própria racionalidade. Hoje, a civilização consente que é importante avaliar os diversos pontos de vistas, as diferentes narrativas e compreensões da realidade. É necessário investigar todas as "pedras" que temos pelo caminho: documentos históricos, leis, cartas, canções, monumentos, edifícios, moinhos, lápides, pergaminhos, moedas, teses, homilias, gramáticas, reportagens, diários.

O trabalho não é fácil e o resultado não é garantido. Mas o que pode ser garantido? Vale então o esforço, a tentativa, o anseio. Evidente que vale, caso contrário já teríamos desistido de tudo e o mundo estaria imerso na anarquia — mas não é o caso. Somos humanos, demasiadamente humanos, e permanecemos tanto com o "problema do mal" como com o "problema do bem". Permanecemos crendo na morte e na vida, na guerra e na razão, na autodestruição e no convívio. Se simplesmente ignorarmos nossa racionalidade já não seremos humanos, continuaremos apenas com os berros inócuos que hoje ecoam em nossos espaços privados, públicos e cibernéticos.

A racionalidade não é tudo que temos, não é inequívoca, não é toda-poderosa, como quiseram acreditar os iluministas, os positivistas, os cientificistas. Mas também não é inútil, despre-zível ou perda de tempo, como afirmam irracionalistas, niilistas extremos e proponentes de crendices absurdas no hipermerca-do da pós-modernidade.[11] Essas posições extremadas não mais fazem sentido. Razão não é "tudo", mas também não é "nada". A racionalidade humana tem vasto espectro: do polo do ceticismo ao polo da superstição. Mas o ceticismo absoluto nos moldes pirrônicos — "duvido de tudo" — já está fora da mesa da razão. Se "nenhuma afirmação é verdadeira", então nem essa afirmação é verdadeira. Em contrapartida, a total superstição, que diz "eu acredito em qualquer coisa em que quiser acreditar e é verdade isso em que creio", cai igualmente da mesa da razão. Não é por se afirmar algo que necessariamente esse algo é.

O retorno de esoterismos pueris naquelas que foram já cha-madas de "classes educadas" é sintomático em nosso tempo. Assim, o que mais se aproxima de um consenso, hoje, na aca-demia, nos pensadores, na poesia, no cinema, nos centros de poder, nos autores e atores sociais em voga, é isto: o máximo que posso fazer é crer naquilo que for mais plausível para mim. Um grupo, no qual me incluo, acrescentará: "e não prejudique os outros além de mim".

Hoje em dia, não se aceitam mais versões únicas da história, nem sequer se acredita em uma razão única, uma verdade úni-ca, uma língua única. Pelo contrário, um denominador comum aos pensadores de hoje é a crença em que a razão deve ser sen-sível e aberta a outras racionalidades. Há outras lógicas além da clássica, como a paraconsistente. Há outras físicas além da mo-derna, como a física quântica. Os debates no século 21 se dão em uma arena plural, onde a humildade é condição elementar para entrar na conversa.

Humildade não significa abrir mão de suas convicções, fazer concessões nas próprias crenças nem mutilar e negar a historicidade das coisas. Significa fazer um esforço concreto para chegarmos a acordos pacíficos naquilo que diz respeito a todos, a fim de garantir a coexistência entre as pessoas e chamar seres humanos a serem humanos. As razões, as causas, os encadeamentos que nos trouxeram até a situação atual estão em aberto, são disputados, admitem diferentes interpretações e não nos interessam neste livro. Partimos simplesmente do dado de que é assim que hoje se pensa. Nosso objetivo não é realizar um monólogo ou discurso pronto. Tampouco dizer que concordamos com o atual denominador comum do pensamento contemporâneo.

De modo prático, isso significa dizer que faremos aqui um esforço interpretativo com toda diligência e humildade discursiva que nos for possível. Pode-se fazer isso de outro jeito? Claro que sim. É possível apresentar explicações com base em fideísmos primitivos; em noções de um cosmos estático, como na Grécia clássica; em rudimentos da dialética moderna; com o cinismo do existencialismo materialista ou, ainda, com o senso comum da criança. No entanto, essas explicações, apesar de possivelmente apresentarem coerência e proverem significado em seus determinados contextos, nada dirão ao contemporâneo, pois se estabelecem a partir de conceitos hoje insuficientes na descrição e compreensão do mundo. A contemporaneidade está pactuada em novas noções, como "história das mentalidades",[12] "história e micro-história",[13] "rizomas",[14] "não-lugares",[15] "modernidade líquida",[16] "sociedade em rede"[17] e "enunciados performativos".[18]

Desse modo, como é ao meu tempo-espaço que desejo falar, aproprio-me da metalinguagem do meu tempo-espaço e

30 Brasil polifônico

passo a tecer o presente ensaio, que visa a jogar luz naquele que talvez seja um dos mais decisivos embates do início do século 21: o encontro de duas ideias/sistemas/comunidades que nasceram na mesma época, quinhentos anos atrás: o Brasil e o protestantismo.

Objetivo

Nosso objetivo com este livro é contribuir com os contornos do debate político brasileiro da atualidade, que atravessa grave crise e apresenta um fator consolidado: a presença do segmento evangélico, que agora reúne um terço do total de brasileiros.

Quais são os contornos jurídicos, filosóficos e institucionais para que a discussão da coisa pública avance, à luz da presença evangélica? Quais são os eixos essenciais para que a sociedade brasileira saia de um debate político irracional e cercado de preconceitos espúrios?

Para delinear um território de esclarecimentos, apresentaremos no primeiro capítulo um panorama da crise da Nova República brasileira no início do século 21, da afirmação da participação política evangélica nas últimas décadas e dos riscos da demagogia.

Nos capítulos seguintes, ressaltaremos conceitos jurídicos, políticos e filosóficos que são basilares para o exercício de um diálogo realmente justo e digno de nosso país. Nossa vontade é dissipar nuvens escuras que se avolumam diante de marcos civilizacionais, como os limites do poder do Estado; a separação do Estado das instituições religiosas; a lógica da laicidade estatal que permite a plena liberdade religiosa; a defesa dos direitos humanos e do Estado Democrático de Direito; e a defesa da tolerância e do diálogo como instrumentos de construção da sociedade. Durante o exame, também destacaremos a sólida influência da tradição cristã, em especial a protestante, sobre cada um dos conceitos.

Sem uma compreensão clara das reais bases jurídicas, filosóficas e civilizacionais que estruturam a República, o debate político brasileiro fica à mercê de demagogos, polarizações inúteis, oportunistas eleitorais e projetos obscuros de poder. É por meio de diálogos racionais e sem preconceitos infundados que construiremos uma sociedade livre, justa e solidária. Contribuir com informações para esses diálogos, em especial à luz da presença dos evangélicos na política, como eleitores, influenciadores, candidatos e ocupantes de cargos eletivos, é justamente o que pretendo com esta obra.

1

CRISE DA NOVA REPÚBLICA, EVANGÉLICOS E DEMAGOGIA

Uma nuvem paira sobre o Brasil. É a nuvem dos "evangélicos". "Nuvem" dada a evidente característica heterogênea, fluida e difusa que caracteriza o grupo; uma vasta nuvem que, em 2010, já havia ultrapassado a casa dos 42,3 milhões de habitantes, conforme o Censo Brasileiro, do Instituto Brasileiro de Geografia e Estatística (IBGE). Pesquisa do Instituto Datafolha, publicada no Natal de 2016, aponta que "três em cada dez (29%) brasileiros com 16 anos ou mais atualmente são evangélicos, dividindo-se entre aqueles que podem ser classificados como evangélicos pentecostais (22%), [...] e 7%, como evangélicos não pentecostais".[1]

Diversos choques culturais já ocorreram na história brasileira: colonizadores e indígenas, portugueses e invasores, monarquistas e republicanos. Vivenciamos hoje um novo choque, prenunciado na última década, entre os evangélicos e as estruturas de poder da nação. A "voz evangélica" é agora incontornável na arena pública nacional. Por um lado, os projetos políticos nacionais não podem mais ser pensados/realizados ignorando o grupo religioso ao qual pertence um terço dos brasileiros. Por outro lado, as comunidades evangélicas não podem mais agir como se o país não importasse ou se comportar como se fossem as minorias de tempos passados. É hora de assumir responsabilidades.

Portanto, é necessário aprofundar a análise, a conceituação, os estudos acadêmicos, a compreensão sobre o que é a gente evangélica e quais são as suas demandas e tradições, os seus medos e as suas esperanças. É um tema que não pode mais ser levado de qualquer modo para os dois lados em questão: os evangélicos não mais podem se comportar como se o Brasil não lhes dissesse respeito e as elites brasileiras não podem mais fazer uma leitura infantil do protestantismo. Não bastam os superficialismos, as explicações rasas que circulam na mídia, nas redes sociais e nos corredores de universidades sucateadas. A inabilidade e a apatia de protestantes na arena pública, somadas ao descaso e ao preconceito de parte das figuras públicas da nação encaminham nossas discussões cívicas contemporâneas para um solo extremamente infértil.

Nosso objetivo não é fazer uma colagem de clichês rasos sobre temas desbotados ou apresentar mais uma teorização inócua sobre qual é a categorização e a nomenclatura ideal para se referir aos "evangélicos". Nossa proposta é mais concreta: precisamos jogar luz na situação brasileira. De um lado, temos uma nação que atravessa uma grave crise econômica, a fuga de recursos do país, a ruína da antiga classe política, a caducidade dos projetos de país: o poder está aberto. Do outro lado, temos a voracidade dos evangélicos, grupo religioso que mais cresceu no Brasil nas últimas décadas, composto por um conjunto heterogêneo de igrejas e denominações com maior ou menor ligação histórica e teológica com a Reforma Protestante europeia.

Como pano de fundo, temos as demandas globais do século 21, com a crise civilizatória, as mutações do capitalismo, as crises ecológicas, o desenvolvimento científico, as instabilidades políticas, a proliferação simultânea de redes e muros. No meio dessa tempestade, está o real futuro do povo brasileiro. O que precisamos saber e fazer?

A Nova República em crise

A década de 2010 tornou-se palco de uma séria crise política, institucional, econômica no Brasil. A instabilidade político-social do país já era visível desde as manifestações de junho de 2013. Inicialmente como contestação aos aumentos nas tarifas de transporte público, as manifestações de 2013 levaram em seu ápice milhões de brasileiros às ruas de diversas cidades brasileiras e no exterior. Foram as maiores mobilizações no país desde as manifestações pelo *impeachment* do então presidente Fernando Collor de Mello, em 1992.

As "jornadas de junho", como também ficaram conhecidas as manifestações, incorporaram múltiplas insatisfações populares, como a má qualidade dos serviços públicos, os gastos com a Copa do Mundo de futebol e as Olimpíadas, e a corrupção política. O governo brasileiro reagiu com uma "agenda positiva" que incluiu medidas como tornar a corrupção um crime hediondo e o arquivamento da chamada PEC 37, que proibiria investigações pelo Ministério Público.[2]

Nas eleições de 2014, evidenciou-se a polarização política crescente na nação. No pleito presidencial mais acirrado na história recente brasileira, a candidata à reeleição Dilma Rousseff superou seu oponente Aécio Neves no segundo turno: foram 54.501.118 votos, contra 51.041.155.[3] Ao violento ambiente de polarização somaram-se os pífios resultados no desenvolvimento econômico brasileiro, com o aumento da inflação e do desemprego. Paralelamente, avançaram as investigações da Operação Lava Jato na elucidação de uma intrincada rede de crimes cometidos por políticos, partidos (tanto do governo como da oposição), empresas públicas, empreiteiras e outras corporações privadas.

O governo Dilma entrou em acelerada fragmentação e enfrentou rachas internos e crescentes manifestações populares — as maiores desde a campanha das Diretas Já, em 1984.[4] O aumento da impopularidade da presidente, a deterioração da economia, as investigações policiais, as decisões judiciais contra políticos corruptos e uma série de manobras políticas levaram ao *impeachment* de Rousseff. Em 17 de abril de 2016, a Câmara deu prosseguimento ao pedido de impedimento, por 367 votos a favor e 137 contra. Em 12 de maio, o Senado autorizou a abertura do processo. Ao fim do trâmite, o Senado votou, resultando em 61 votos a favor e 20 contra o *impeachment*. Em 31 de agosto, Dilma Rousseff perdeu o cargo de presidente da República, assumindo como governante o seu vice, Michel Temer.

Começou a derrocada de antigas lideranças políticas e governamentais nos três poderes. O dia 17 de novembro de 2017 foi sintomático, por exemplo, para o estado do Rio de Janeiro: todos os governadores eleitos desde 1998 e todos os presidentes da Assembleia Legislativa fluminense, desde 1995, estavam na cadeia.[5]

Tal convulsão política não está restrita à mera esfera retórica das "narrativas" ideológicas de "golpes" e "contragolpes". O país concretamente acumulou uma sucessão de problemas conjunturais graves: altas taxas de desemprego, desaquecimento da economia, saída de investidores, baixa credibilidade do governo. Muito além de transtornos episódicos no reequilíbrio das contas públicas, verificaram-se problemas estruturais mais amplos da nação, como os detectados na previdência, nos pesados tributos, nas relações trabalhistas, no sistema político. Tudo isso, agravado pelas mazelas históricas do Brasil, como atraso educacional, baixo desenvolvimento científico, desigualdades socioeconômicas, fome, miséria, violência, crime organizado e corrupção sistêmica nas estruturas de poder.

O Brasil vivencia um amálgama de crises de curto, médio e longuíssimo prazo. Permanecem na pátria as desigualdades crassas e contradições cruéis. Das 50 cidades mais violentas do mundo, 19 estão no Brasil.[6] Somos o aquífero do mundo, mas muitos morrem de sede no sertão; somos campeões em produção agrícola, mas cerca de oito milhões de brasileiros passam fome; somos os pulmões do mundo, com nossas florestas, mas não as preservamos. O nome de nosso país vem de uma planta ameaçada de extinção, o pau-brasil. De acordo com o Atlas da Violência 2017, o Brasil é, também, a nação com o maior número de assassinatos no mundo, superando países em guerra, como a Síria.[7]

Vazios do poder e crescimento evangélico

Diante desse cenário no poder brasileiro, não faltam postulantes ao título de "salvador da pátria". Crises são obviamente oportunidades de mudança. Percebe-se, então, enorme faniquito em torno do poder: toda semana, rostos, nomes e grupos surgem como "novas" alternativas para a sociedade brasileira. Mas o que realmente há de "novo" nessas propostas? São realmente "novos" caminhos? Ou as lacunas no poder atiçaram o apetite de oportunistas?

O poder seduz. Nas palavras do teórico político e filósofo inglês Thomas Hobbes, em sua obra *Leviatã*, "é tendência geral de todos os homens um perpétuo e irrequieto desejo de poder e mais poder, que cessa apenas com a morte".[8] O poder perturba, atrai, altera o ânimo das pessoas. E a velha máxima maquiavélica continua valendo: o poder não admite vazios. Alguém ocupará os centros de comandos judiciais, legislativos e executivos.

Espaços de poder estão vazios e os evangélicos não cessam de ampliar sua influência política. Conforme o antropólogo e acadêmico Ari Pedro Oro, "em 1990, eram 22 deputados, sendo 19 pentecostais; em 1998, 53 deputados; em 2002, 69 deputados, sendo a maioria pentecostal, com destaque para a Assembleia de Deus (23 deputados) e a Universal (22 deputados); em 2006, 42 deputados e, em 2010, 63 deputados evangélicos".[9] Nas eleições de 2014, foram eleitos 72 deputados e deputadas autodeclarados evangélicos, conforme estudo da doutora em Ciências da Religião Sandra Duarte de Souza[10] — lembrando que, no Brasil, há 513 deputados federais.

Podemos partir da constatação de que o potencial de participação dos evangélicos nas questões públicas nacionais já era observado, analisado e discutido academicamente na década de 1990 por pesquisadores como David Martin, Paul Freston, Ricardo Mariano e Antônio Flávio Pierucci. O Censo do IBGE de 2000 comprovou a expansão evangélica, o que levou a comunidade acadêmica a aventar explicações diversas ao vigoroso crescimento pentecostal. A antropóloga Clara Mafra apontou como contribuintes à expansão dos evangélicos e suas vertentes fatores como proselitismo, liderança personalista, caráter empresarial e técnicas de *marketing*.[11]

Interpretações à parte, o fato é que a pujança numérica alçou o seguimento religioso à potência midiática, com emissoras de televisão e rádio; à força motriz no uso dos espaços públicos, com o fluxo regular de milhares de pessoas em concentrações litúrgicas, festivais e eventos como a Marcha para Jesus; à presença ampla aos olhos dos concidadãos, com o erguimento de edificações das mais simples às mais imponentes por todo o tecido urbano.[12]

Desse modo, concomitante ao crescimento numérico e à penetração nos espaços públicos, os grupos evangélicos também passaram a se articular de modo mais organizado nos pleitos eleitorais. O projeto político *Cidadania AD Brasil*, da Convenção Geral das Assembleias de Deus no Brasil (CGADB), de 2002, por exemplo, postulou três objetivos, tendo em vista as eleições daquele ano: permitir que as Assembleias de Deus tenham voz política para influir nas decisões tomadas nas casas legislativas e pelos que governam o país; eleger candidatos comprometidos com a fé cristã e que sejam instrumentos de ação das Assembleias de Deus junto aos poderes constituídos; e lutar para que os imutáveis princípios da Palavra de Deus sejam o referencial dos que governam e daqueles que fazem as leis, "para que a justiça caminhe ao lado do progresso e não haja lugar para a corrupção em nosso país".[13]

Projetos congêneres foram elaborados por outras denominações e, logo, a ascensão política evangélica levou à formação da chamada bancada evangélica no Congresso Nacional.

40 BRASIL POLIFÔNICO

A partir de 2003, esse bloco passou a se organizar como Frente Parlamentar Evangélica (FPE), composta por senadores, deputados federais e ex-parlamentares (membros colaboradores).[14] Ari Pedro Oro sintetizou o entendimento comum entre pesquisadores, como Mariano e Pierucci, segundo o qual a entrada dos evangélicos na política está, em grande medida, associada a duas motivações importantes:

> [...] uma de ordem simbólica e outra de ordem prática. A primeira deve-se a uma construção narrativa de necessidade de purificação da política, tida como desmoralizada, em razão dos comportamentos ilícitos dos parlamentares [...]. A segunda motivação de ingresso dos evangélicos, especialmente os pentecostais, na política, obedece a uma razão de ordem prática, ou seja, defender no parlamento os interesses das próprias igrejas e estabelecer relações com o poder público que lhes assegure benefícios, tais como apoio a programas e projetos sociais, e concessões de rádios e televisões. Embora haja exceções, tem razão R. Mariano ao afirmar que os políticos pentecostais "se comportam como despachantes das suas igrejas" [...]. Seja como for, na atualidade o capital político detido pelos pentecostais e seu poder interpelativo é tão significativo que eles constituem atores sociais que não podem mais ser desconsiderados.[15]

Depois do Censo de 2010, verificou-se tanto o aumento numérico quanto a diminuição do ritmo de crescimento evangélico. Ao analisar os resultados do levantamento, o sociólogo Ricardo Mariano afirmou:

> De 2000 a 2010, os evangélicos cresceram cinco vezes mais do que a população brasileira: 61,4% contra 12,3%. Com isso,

CRISE DA NOVA REPÚBLICA, EVANGÉLICOS E DEMAGOGIA   41

ampliaram seu rebanho em 16 milhões de adeptos, saltando de 26,2 para 42,3 milhões, compostos por 7,7 milhões de evangélicos de missão (4% da população), 25,4 milhões de pentecostais (13,3%) e 9,2 milhões de evangélicos não determinados (4,8%). Os evangélicos de missão cresceram 10,8%, bem menos do que a cifra de 58,1% que obtiveram na década anterior. Os pentecostais cresceram apenas 44%, expansão que não chega nem à metade das obtidas nos dois decênios anteriores, dado que passaram para 8,8 milhões em 1991 (aumento de 111,7%) e para 17,7 milhões em 2000 (115,4%). Indício de forte crise ou de que o avanço do pentecostalismo começa a arrefecer e a bater no teto? No momento, parecem-me precoces e arriscadas quaisquer conjecturas desse tipo.[16]

Percebe-se uma explosão de notícias na mídia, grande desencontro de informações e ausência de racionalidade nas discussões. O ambiente de *fake news* contribui apenas para o aumento de fanatismos, facilitando o caminho para discursos de mobilização fundada em emocionalismos e mistificações. Há, evidentemente, um jogo de interesses políticos e econômicos mais sério, que transcende o horizonte de compreensão do senso comum. Há múltiplos interesses oligárquicos, ideológicos e econômicos em conflito. Há muitos pastores impostores e lobos em pele de ovelhas.

Política pós-factual e pós-verdade

A demagogia ronda a democracia. "Pós-verdade", expressão eleita como "Palavra do ano 2016" pelo Dicionário Oxford, é definida como "momento em que os fatos objetivos são menos influentes do que as emoções e as crenças pessoais na modelagem da opinião pública".[17] Ou seja, "pós-verdade" é essa situação em que os debates políticos se transformam em discussões emocionais, sem que a realidade concreta importe tanto. Essa filosofia determina que, se algo aparenta ser verdade, na prática se torna uma verdade, pois é mais importante que a verdade.

Para o crescimento dos oportunistas políticos, há um vetor fundamental: o advento das mídias digitais. As novas possibilidades tecnológicas minaram o poder de influência da imprensa tradicional e das fontes centralizadoras de explicação do mundo. Em especial os conglomerados dos meios de comunicação — que desde sempre estão atrelados ao poder — passaram a perder sua capacidade de manipulação da opinião pública, com a proliferação de *blogs*, canais no YouTube, fóruns de discussão *on-line*, "memes", listas de transmissão em aplicativos de mensagens por *smartphones*.

Em paralelo direto com a realidade brasileira, a grande mídia dos Estados Unidos, por exemplo, abriu mão de posturas que indicavam "isenção" e "neutralidade" nas eleições presidenciais de 2016. Veículos notáveis, como a rede de televisão CNN e o jornal *The New York Times* se posicionaram abertamente contra o candidato republicano Donald Trump, e vice-versa. Proliferaram várias acusações de *fake news*, boatos assumidos como verdades, vazamento de dados sigilosos e manipulação de informação.

Vale ressaltar o caráter viral, plural e instantâneo mediado pelas redes sociais por ocasião das manifestações populares de 2013-2015. Foram propagadas e impulsionadas de modo virtual na esteira de mobilizações globais como o *Occupy Wall St.*, nos Estados Unidos; *Los Indignados*, na Espanha, e a *Revolução dos Guarda-chuvas*, em Hong Kong. Essa última é um grande exemplo da força das mídias: em outubro de 2014, Joshua Wong, de 17 anos, comandou uma mobilização de mais de cem mil pessoas com o objetivo de exigir autonomia nas eleições do próximo chefe executivo de Hong Kong. A manifestação ficou conhecida como *Revolução dos Guarda-chuvas* por conta do modo como os litigantes se protegeram dos *sprays* de pimenta e das bombas de gás lacrimogêneo usadas pela polícia. Wong foi capa da revista *Time* de 8 de outubro de 2014. Dois anos antes, ele já havia mobilizado mais de 120 mil pessoas em uma manifestação contra um programa educacional da rede pública chinesa — e os protestos foram atendidos.

Mas as implicações dessas novas tecnologias vão além da drenagem de poder da grande mídia e da capacidade de realizar imensas mobilizações sociais. As novas mídias fragmentam o conhecimento, os dados e as percepções que viabilizam o crescimento da "pós-verdade" e da política "pós-factual", isto é, debates políticos menos atrelados aos fatos e mais ligados aos achismos, às circunstâncias efêmeras e à falta de rigor estatístico.

De repente, todos os brasileiros se julgam especialistas em assuntos políticos e econômicos. Conversar sobre achismos é destruir a realidade das questões políticas e criar uma ficção que nos agrade. Os cidadãos passam a cercar-se e a munir-se apenas das informações, opiniões e "narrativas" que os agradem. Porém, as "guerras de narrativas" aniquilam a possibilidade de diálogos produtivos, pois se tratam de monólogos simultâneos. Por definição, sem diálogo não existe política ou democracia. Sociedades sem diálogos e consensos caminham para um ambiente de imposições, onde a legalidade, a racionalidade e o amor evaporam.

44 Brasil polifônico

Especialmente nas democracias, cujo *locus* do governo é vazio de pessoas que nomeiam seus representantes, as lacunas no poder abrem brechas para a demagogia. O professor de filosofia política Frank Cunningham afirma:

> [...] isso torna possível não somente a demagogia do tipo frequentemente aspirado por políticos populistas, mas também autoritarismo mascarado de democracia [...] Demagogos são especialistas ao tomar vantagem cínica desses aspectos da democracia, e os populistas autoritários usam-nos para justificar o governo autoritário.[18]

O acirramento do debate político brasileiro contribui para o clima de irracionalidade e a irracionalidade contribui para imposições e ilegitimidades. Debater ideias, propostas e caminhos para o país é o cerne da democracia. A democracia se distingue justamente por ser o sistema político no qual o povo participa das decisões.

Generalizações baratas em nada contribuem para elucidar os impasses sociais do Brasil. É urgente o retorno à mesa da razão, do debate responsável de ideias. Diante da inaptidão das antigas ideologias em apontar caminhos, da falência ética de velhos líderes políticos, do vasto alcance da corrupção e da ausência de líderes cívicos, é urgente retornarmos ao uso público da razão. É preciso sair de labirintos desnecessários. Precisamos de mais sal, não de mais ácido; de diálogos com menos estômago e mais cérebro. É necessário ir além de constatações banais como "o aumento do número de evangélicos não tem diminuído nossos problemas"; "a maioria dos evangélicos brasileiros é apenas nominal, não tem nada a ver com a Reforma" ou "precisamos mudar o Brasil". Nós precisamos é de menos especialistas do óbvio e de teóricos do clichê.

Transformar o Brasil é tarefa muito maior que jogar frases motivacionais ao vento ou disparar piadas pelo *smartphone*. A nação é muito maior que *hashtags*. É preciso ir além de hipóteses intermináveis; precisamos de sínteses. Mas necessitamos de ações respaldadas pelo equilíbrio da reflexão e pela solidez da pesquisa científica. Maturidade e equilíbrio são palavras que deveríamos ter em mente a todo instante. Famílias brasileiras estão morrendo de fome e sede ou em decorrência da violência. Sem a pretensão de reinventar a roda ou esgotar a questão, quero propor algumas reflexões e possibilidades de orientação para o debate político brasileiro, antes que a tempestade se torne dilúvio.

A nossa república estará sempre vulnerável diante dos governantes sem escrúpulos. Democracias são vulneráveis, e a crise brasileira é mais uma evidência disso. Entre 1992 e 2016, vivenciamos dois *impeachments* presidenciais. Por isso, é muito importante mantermos sempre em vista as possibilidades e as vulnerabilidades da democracia. Momentos de instabilidade política e vazios no poder são períodos nos quais o diálogo lúcido e constante é necessário. Quem vigia os vigilantes? Quem lava a Lava Jato? Quem governa os governantes? A resposta da democracia de nosso país tem de ser: o *povo brasileiro*.

2

ESTADO: CRISTO REDEFINE CÉSAR

Todo cidadão brasileiro deve respeitar a Lei: a República Federativa do Brasil é uma nação soberana, constituída como Estado Democrático de Direito.

A crise da Nova República é, além de política, institucional. Constantes atritos entre os poderes Executivo, Legislativo e Judiciário desgastaram a imagem e a credibilidade das instituições. Aumentou o volume de frases de efeito, de explicações enlatadas, de feitiços da linguagem retórica em detrimento de debates centrados na cooperação, na racionalidade, na boa vontade política. Afirmações como "essa é uma acusação leviana", "isso é golpe" e "fulano de tal rasgou a Constituição" tornaram-se chavões vazios. Determinados grupos pedem abertamente em manifestações públicas e na internet por uma "intervenção militar". Esse ambiente irracional diante das leis contamina igualmente as discussões públicas que envolvem temas morais, religiosos e científicos. Há muitos palpites em circulação, mas pouco respaldo legal que os fundamentem.

48 Brasil polifônico

Nesse clima cínico, é necessário reafirmar algo que deveria ser óbvio: a necessidade de respeito pela lei, pela legalidade, pela autoridade constituída. Como resolver as questões relativas à crise política? A resposta é simples e direta: antes de tudo, é necessário consultar a lei.

Somos uma nação constituída sob o império da lei. É a lei que regula a sociedade e, assim, estabelece limites, ordenanças, permissões, proibições e sanções. A lei é causa e medida do direito; ela constitui e organiza a sociedade. Com lei, a sociedade enfrenta inúmeras desigualdades e conflitos; sem lei, ela caminha para a desorientação total, a barbárie plena. O jurista, filósofo e professor espanhol Javier Hervada escreveu: "Em todos os povos minimamente civilizados, a lei foi estabelecida e se estabelece mediante a escrita, de modo que desde tempos remotos a lei foi chamada de *lex* ou *constitutio scripta*, por oposição ao costume ou *lex non scripta* (lei não-escrita)".[1]

O que caracteriza a lei é também sua força vinculatória, obrigatória. Todos os membros do corpo social brasileiro estão submetidos à mesma lei. A obrigatoriedade da lei é uma máxima, pois ela representa o dever de justiça mais incondicional e de maior força jurídica, que é o poder soberano da sociedade humana.

O Estado é a estrutura dotada legalmente do direito de usar a força para compelir seus cidadãos a fazer certas coisas e não fazer outras. O Brasil, que já foi colônia, sede de império, monarquia e ditadura, é hoje uma República Federativa presidencialista, erguida sob a Assembleia Nacional Constituinte que promulgou a Constituição Federal de 1988. Nossa Carta Magna nos estabelece como um Estado Democrático de Direito. Qualquer discussão política precisa estar debaixo do escrutínio constitucional. A lei deve ser respeitada e obedecida por todos.

Cristo e César

Os cristãos têm ainda um duplo fundamento para a obediência à lei: além da razão jurídica em si, há a razão bíblica. Isso porque um dos conceitos basilares na perspectiva cristã da política, e que influenciou as teorias jurídico-políticas em geral, é o preceito de Jesus Cristo: "Então deem a César o que pertence a César, e deem a Deus o que pertence a Deus" (Mt 22.21). Conforme afirmam os juristas franceses Jean Rivero e Hugues Moutouh, tal ensino fundamenta a limitação dos direitos do poder: "César, ou seja, o poder, excede sua competência se atenta contra 'o que é de Deus'. O súdito, nesse ponto, já não é obrigado à obediência: sua resistência se torna legítima, já que o poder se aventurou num campo que escapa à sua jurisdição. Desde então há, portanto, um limite ao poder".[2]

Outros textos do Novo Testamento indicam que o governo humano — e com ele as leis — não é, em sua origem, um fato cultural, produzido direta e imediatamente pelo homem, mas algo dado a ele por vontade divina. Jesus afirma ao governador romano Pôncio Pilatos: "Você não teria autoridade alguma sobre mim se esta não lhe fosse dada de cima" (Jo 19.11). Na epístola de Paulo aos Romanos, o apóstolo de Cristo afirma que as autoridades civis foram constituídas por Deus e devem ser respeitadas:

> Todos devem sujeitar-se às autoridades, pois toda autoridade vem de Deus, e aqueles que ocupam cargos de autoridade foram ali colocados por ele. Portanto, quem se rebela contra a autoridade se rebela contra o Deus que a instituiu e será punido. Pois as autoridades não causam temor naqueles que fazem o que é certo, mas sim nos que fazem o que é errado. Você deseja

viver livre do medo das autoridades? Faça o que é certo, e elas o honrarão. As autoridades são servas de Deus, para o seu bem. Mas, se você estiver fazendo algo errado, é evidente que deve temer, pois elas têm o poder de puni-lo, pois estão a serviço de Deus para castigar os que praticam o mal. Portanto, sujeitem--se a elas, não apenas para evitar a punição, mas também para manter a consciência limpa.

É por esse motivo também que vocês pagam impostos, pois as autoridades estão a serviço de Deus no trabalho que realizam. Deem a cada um o que lhe é devido: paguem os impostos e tributos àqueles que os recolhem e honrem e respeitem as autoridades.

Romanos 13.1-7

O apóstolo Pedro afirma a mesma coisa, conforme registro bíblico:

Por causa do Senhor, submetam-se a todas as autoridades humanas, seja o rei como autoridade máxima, sejam os oficiais nomeados e enviados por ele para castigar os que fazem o mal e honrar os que fazem o bem.

É da vontade de Deus que, pela prática do bem, vocês calem os ignorantes que os acusam falsamente. Pois vocês são livres e, no entanto, são escravos de Deus; não usem sua liberdade como desculpa para fazer o mal. Tratem todos com respeito e amem seus irmãos em Cristo. Temam a Deus e respeitem o rei.

1Pedro 2.13-17

O advento da fé cristã alterou drasticamente a compreensão da legalidade do governo. O antigo pensamento filosófico afirmava a ligação do direito com o divino em bases confusas, sem a transcendência divina em sentido estrito. Javier Hervada escreveu:

[...] para falar propriamente de transcendência, é preciso chegar a captar a distinção real entre Deus e o mundo. Um Deus que não está no mundo, que é realmente diferente dele e, ao mesmo tempo, que o rege e governa. Nesse sentido, cabe ao pensamento judaico-cristão ter estabelecido a transcendência divina do modo mais exato e completo.[3]

Segundo Hervada, a ideia da criação *ex nihilo*, peça-chave da concepção bíblica do mundo, implica duas realidades: por um lado, a distinção real entre Deus e o mundo, como Criador e criação com substâncias distintas. Por outro lado, o universo criado não tem em si o princípio último de subsistência, do que se conclui que toda realidade criada tem em Deus seu primeiro princípio de subsistência. Segundo Hervada, tudo isso implica a ideia de um Deus que governa continuamente o mundo e tem providência permanente sobre ele, pois cada lei humana e cada mandato legítimo são uma forma peculiar do contínuo governo divino sobre os seres livres, dotados por Deus de autonomia, isto é, da faculdade de regular e outorgar leis a si mesmos. Por isso, a obediência à autoridade e às suas leis está diretamente relacionada à obediência à lei divina.

Segundo a concepção cristã, o governo civil existe para o bem-estar de toda a sociedade. Por isso, segundo o teólogo anglicano inglês J. I. Packer:

Deus dá-lhe o poder da espada (isto é, o uso lícito da força para impor leis justas: Rm 13.4). Os cristãos devem reconhecer isto como parte da ordem de Deus (Rm 13.1-2). Mas as autoridades civis não devem usar esse poder para perseguir os adeptos ou não adeptos de qualquer religião particular, ou para defender qualquer forma de mal.[4]

52   BRASIL POLIFÔNICO

Levanta-se então outra importante questão: na perspectiva cristã há espaço para a desobediência civil? A resposta é positiva. A desobediência civil é outro ensino evidente nos textos bíblicos, com exemplos notáveis, como as parteiras hebreias diante do decreto do faraó de exterminar todos os bebês hebreus do sexo masculino (Êx 1.15-17); os jovens hebreus cativos na Babilônia diante de leis babilônicas que afrontavam sua consciência religiosa (Dn 3; 6), e os primeiros cristãos e as leis do Sinédrio (At 4.19; 5.29).

A regra geral é a obediência à legalidade do Estado, que tem sua autoridade concedida por Deus. Contudo, caso a obediência ao Estado implique desobediência a Deus, o cristão tem um novo dever: a desobediência civil. Quando proibidos de ensinar acerca de Jesus, Pedro desafiou as autoridades: "Devemos obedecer a Deus antes de qualquer autoridade humana" (At 5.29). Packer afirmou que, se o Estado proibir o que Deus requer ou requerer o que Deus proíbe, "alguma forma de desobediência civil, com aceitação de suas consequências penais (mostrando assim que se reconhece a autoridade atribuída por Deus aos governos como tais), torna-se inevitável (At 4.18-31; 5.17-29)".[5]

A deificação dos líderes políticos

Os primeiros cristãos enfrentaram gravíssimas situações ao deparar com o culto dos romanos ao imperador. A partir de 27 a.C., o Império Romano passou a ser governado por um único homem: Otaviano, que recebeu o título de "Augusto", isto é, "majestoso", "venerável". Ele passou a concentrar o poder de modo gradual, acumulando outros títulos, agradando senadores, mantendo as fachadas da república. Otaviano — que adotou o nome de seu pai adotivo, Júlio César, e passou a se denominar Caio Júlio César Otaviano — estruturou uma rede de estradas e um correio oficial, montou um exército permanente e ampliou as fronteiras do império por vias militares e diplomáticas. Com o objetivo de sedimentar sua autoridade, ele sistematizou o culto ao imperador e, mediante anuência do senado, assumiu o título de "Imperador César, Filho do Divino, Augusto", ou, simplesmente, César Augusto.

O imperador resgatou o clero romano, composto por um corpo de quinze sacerdotes chamados *flâmines*: três flâmines lideravam a adoração às três deidades principais de Roma (Júpiter, Marte e Quirino) e os outros doze flâmines cuidavam dos deuses menores. O senado passou a ter poderes para realizar *apoteoses* (vocábulo de origem grega que significa "fazer um deus") e alçar imperadores mortos ao posto de deuses de Estado. Autoridades estatais eram consagradas como flâmines dos imperadores deificados. De acordo com o historiador Antônio Carlos do Amaral Azevedo, esse culto representava uma manifestação de lealdade a Roma e, concomitantemente, um instrumento de alta significação política e religiosa. "Esse título, *augustus*, torna a função imperial inseparável da sacralidade. Conduzido ao poder por ser divinizado, o imperador não precisa justificar qualquer dos seus atos ou de suas decisões".[6] Assim, o culto ao imperador se estabeleceu como uma forma plena de concentração de poder e dominação política.

No início, apenas os imperadores mortos eram deificados pelo senado. César Augusto liderou a deificação de Júlio César a "divino Júlio" (*divus Julius*). Os imperadores vivos eram considerados "filhos dos deuses", agentes da divindade. Contudo, o próprio César Augusto passou a ser visto, gradualmente,

54 Brasil polifônico

como um semideus. Seus poderes religiosos aumentaram com o tempo. Ele recebeu, em 23 a.C., poder de tribuno e, 19 a.C., autoridade para ditar normas morais ao Império. Em 12 a.C., tornou-se pontífice máximo (*pontifex maximus*), assumindo, com isso, o controle das práticas religiosas do Estado. Em 2 a.C., César Augusto recebeu o título de pai da pátria (*pater patriae*). Os eventos levaram naturalmente a uma situação em que ele e seu sucessor, Tibério, foram adorados por ser imperadores. Posteriormente, Calígula (12-41) se tornaria o primeiro imperador a se autodeclarar deus. Seus sucessores, Cláudio e, depois, Nero, além dos demais imperadores, mantiveram o culto imperial em municípios e também nas províncias, por meio de rituais e textos, em altares e edifícios.

As comunidades cristãs iniciais floresceram nesse contexto. Seus primeiros pregadores foram judeus simples, em sua maioria pescadores rudes e iletrados; sem cultura, posses nem influência; absolutamente alheios à civilização greco-romana. O jurista irlandês John M. Kelly relata em seu livro *Uma breve história da teoria do direito ocidental* que as minúsculas comunidades cristãs formadas enquanto os apóstolos de Cristo ainda estavam vivos mal foram notadas pelo mundo romano oficial até o fim do primeiro século. As pequenas comunidades cristãs estavam diluídas em meio ao vasto culto dos romanos ao imperador. Eram grupos quase invisíveis, formados por pessoas simples, que tinham um credo simples: "Cristo é Senhor". O teólogo anglicano inglês John Stott escreveu:

> Os cristãos primitivos enfrentavam um constante conflito entre Cristo e César. Durante o primeiro século, a megalomania dos imperadores era cada vez maior. Eles mandavam construir

templos em sua própria honra e exigiam que seus súditos os reverenciassem como deuses. Essas exigências acabaram entrando em choque direto com o senhorio de Cristo, a quem os cristãos honravam como rei, ou melhor, como "o soberano dos reis da terra" (Ap 1.5).[7]

Além de monoteístas, os cristãos eram exclusivistas, isto é, reivindicavam que todos os deuses eram falsos, exceto o seu. Kelly afirmou: "Aos olhos da Roma oficial, essa atitude era antissocial e perturbadora, constituindo uma ameaça à disciplina cívica e militar; isso explica a hostilidade oficial aos cristãos, que frequentemente se exasperava a ponto de provocar cruéis perseguições".[8] Assim, de Nero a Constantino os cristãos sofreram as mais atrozes perseguições e uma multidão de pessoas derramou sangue por afirmar sua fé em Jesus Cristo. O historiador eclesiástico Harry R. Boer escreveu que "a razão básica para a perseguição dos cristãos no Império Romano era a recusa da igreja em permitir a adoração ao imperador pelos seus membros".[9]

É possível ter um vislumbre de como os primeiros cristãos eram vistos pelas autoridades ao lermos o livro XV da obra *Anais*, do eminente senador e historiador romano Públio Cornélio Tácito (55-120):

> Para livrar-se de suspeitas, Nero culpou e castigou, com supremos refinamentos de crueldade, uma casta de homens detestados por suas abominações e vulgarmente chamados de cristãos. Cristo, do qual seu nome deriva, foi executado por disposição de Pôncio Pilatos durante o reinado de Tibério. Reprimida durante algum tempo, essa superstição perniciosa voltou a brotar, já não apenas

na Judeia, seu berço, mas na própria Roma, receptáculo de quanto sórdido e degradante produz qualquer recanto da terra.[10]

A "superstição perniciosa" permaneceu mesmo diante do agravamento da perseguição posterior. O imperador Diocleciano (244-311), por exemplo, promulgou éditos persecutórios agressivos, que ordenavam a destituição dos cristãos de cargos públicos, a destruição de seus locais de culto, a prisão de líderes eclesiásticos e a obrigatoriedade do sacrifício a deuses pagãos, sob pena de execução.

"Então deem a César o que pertence a César, e deem a Deus o que pertence a Deus" foi, portanto, um preceito levado a sério pelas comunidades cristãs primitivas. A reflexão teológica posterior consolidou tal ditame como fundamental para a compreensão política. Rivero e Moutouh afirmaram que "a distinção entre o temporal e o espiritual, subtraindo à ação do poder a área da consciência, tornou possível e necessária a limitação da onipotência estatal".[11] Portanto, a tradição interna cristã e sua influência geral sobre as teorias do poder traz amplo apoio à noção de zelo pela legalidade.

Com seu desenvolvimento histórico, a doutrina jurídica moderna se emancipou do alicerce teológico e também passou a fundamentar a desobediência civil. O *corpus* da filosofia do direito apresenta respostas seculares firmes acerca do dever de obediência à lei e desobediência em caso de leis ilegítimas. Por exemplo: as comunidades políticas são estabelecidas por meio de pactos sociais, consensos. A forma como se produz esse consenso ou pacto é muito variada, mas qualquer sociedade sem pacto ou consenso apresentaria leis viciadas por ilegitimidade.

O pacto social sustenta o que a comunidade política concreta e sua legislação têm de histórico. Ocorre uma crise no pacto social quando se enfraquece ou se altera o consenso que sustentava um regime político, um governo ou a própria existência de uma comunidade política. Enquanto é legítimo promover essas mudanças, torna-se legítimo desobedecer às leis que sustentam o que se pretende mudar. As exceções da desobediência civil confirmam a regra, que é a obediência civil. Em princípio, a desobediência à lei é sempre ilegítima. A lei vale para todos.

Separação entre Estado e instituições religiosas

A Constituição brasileira de 1988 assegura a plena separação legal entre Estado e instituições religiosas. No Título III, *Da Organização do Estado*, o artigo 19 estabelece que é vedado à União, aos estados, ao Distrito Federal e aos municípios:

> I — estabelecer cultos religiosos ou igrejas, subvencioná-los, embaraçar-lhes o funcionamento ou manter com eles ou seus representantes relações de dependência ou aliança, ressalvada, na forma da lei, a colaboração de interesse público;
>
> II — recusar fé aos documentos públicos;
>
> III — criar distinções entre brasileiros ou preferências entre si.[12]

Tal dissociação entre Estado e instituições religiosas não existia em nossa primeira Constituição, da época do Império, de 24 de março de 1824. Para o jurista Juares Altafin, na organização estatal brasileira estabelecida após a independência, o cristianismo era evidente não só porque a Constituição foi outorgada em nome da Santíssima Trindade, como também assim dizia o seu artigo 5º: "A Religião Catholica Apostólica Romana continuará a ser a Religião do Império". Completava o artigo: "Todas as outras religiões serão permitidas com seu culto doméstico, ou particular em casas para isso destinadas, sem forma alguma exterior de Templo". Mais adiante, no artigo 179, V: "Ninguém pode ser perseguido por motivo de religião, uma vez que respeite a do Estado e não ofenda a moral pública". O imperador, como Poder Executivo, nomeava os bispos e provia os benefícios eclesiásticos (artigo 102). Dependiam de aprovação do Governo os atos da Santa Sé que pudessem vigorar no Brasil (artigo 102, XIV).[13]

Tal situação foi rompida a partir da proclamação da República e da Constituição de 1891. Altafin explica que, "antes mesmo da Constituição de 1891, o Governo Provisório separou a Igreja do Estado, pelo Decreto 119A, de 7 de janeiro de 1890".[14] No posterior desenvolvimento constitucional, que culmina na Carta Magna de 1988, verifica-se, hoje, o critério da laicidade estatal, isto é, o Estado brasileiro está terminantemente proibido tanto de subvencionar como de servir de obstáculo a qualquer religião.

Tal configuração estatal é amplamente aceita e, hoje, defendida tanto por católicos quanto por protestantes históricos. É bem verdade que nem sempre foi assim e que atualmente também há grupos evangélicos retrógrados do ponto de vista do desenvolvimento constitucional na história da civilização. Como veremos adiante, há grupos que mais se assemelham ao comportamento da Igreja Católica medieval, com a lógica anticristã das "cruzadas". O próprio Vaticano reconhece hoje seus graves equívocos e desvios históricos.

Antes de seguir nesse tema, é necessário recapitular alguns marcos jurídicos e conceitos políticos na história. Na brilhante palestra "Por que o cristianismo? Do ponto de vista dos romanos", proferida, em 2008, na Universidade de Paris, o especialista em filosofia antiga e medieval Lucien Jerphagnon alertou sobre o desafio imenso que há em interpretar os desdobramentos históricos da fé cristã. Diante de uma tradição que cobre dois mil anos, é necessário prudência para não cairmos em generalizações vazias. Quando se diz "cristão", de que "cristão" estamos falando? Jerphagnon questiona:

> Os dos primeiros tempos, que os romanos não distinguiam nem mesmo dos judeus? Lembremos Suetônio, observando, por volta de 120, que Cláudio havia expulsado os judeus em 49, pois eles criavam tumultos *"impulsore Chresto*, sob a instigação de certo Cresto" — que ele toma por um contemporâneo do imperador. Ou então se fala do cristianismo dos séculos IV-V, um saco de gatos em que se entre-excomungam niceenses, arianos, donacianos, nestorianos, etc.?[15]

É necessário, portanto, um esforço em clarificar ao máximo os conceitos, as definições, os acontecimentos históricos e as narrativas envolvidas na questão. Como Jerphagnon afirmou na Sorbonne, tão diversas são as intenções da consciência individual e coletiva que nela se embaralham que o observador se crê no universal, quando, na verdade, patina no anacronismo. "Todos nós estamos expostos a isso".[16]

Avaliemos, então, certos dados que são amplamente aceitos. Segundo o cientista político e bispo anglicano Robinson Cavalcanti, em seus dois mil anos de história, a Igreja e Estado têm vivido uma diversidade de situações: a) uma situação de minoria frágil e de escassa influência sob o poder imperial de Roma; b) uma relação de intimidade tutelada no cesaropapismo do Império Bizantino; c) uma relação de intimidade tutelante com o poder temporal do papa no Sacro-Império do Ocidente; d) uma relação de intimidade ambígua com os Estados confessionais (católicos, protestantes e ortodoxos); e) uma relação de minoria oprimida e, ou, discriminadora sob Estados confessionais não-cristãos ou ateus; f) uma relação de influência declinante, como uma organização social entre várias, nos Estados não-confessionais secularizados.[17]

Sobretudo após o longo período de simbiose entre fé cristã e Império Romano, a questão da separação entre Igreja e Estado tornou-se crucial na reflexão política, tornando-se um ponto central na estruturação dos Estados modernos. A promiscuidade entre as estruturas estatais e as instituições eclesiásticas no Império Romano remonta ao imperador Constantino.

De acordo com a tradição, Constantino, filho do imperador Constâncio Cloro e da cristã devota Helena, sucedeu o pai e foi aclamado pelo exército como imperador de parte do Ocidente do Império Romano. Maxêncio, rival de Constantino, governava o norte da África e a Itália. Na batalha travada entre eles na Ponte Mílvio em 312, Constantino saiu vencedor. O historiador Eusébio marca essa vitória com uma visão de Constantino antes da batalha. Segundo o relato, aparece-lhe a cruz de Cristo, com o lema *in hoc signo vinces* ("por este sinal vencerás"). Com isso, Constantino adota o emblema das duas primeiras letras gregas do nome de Cristo (XP) nos escudos dos soldados.

No ano 313, o imperador proclama o édito de Milão, segundo o qual a fé cristã passou não só a ser tolerada, mas incentivada. Muitos historiadores consideram hoje que Constantino jamais foi de fato um "cristão", mas um político que tomou

ESTADO: CRISTO REDEFINE CÉSAR   61

decisões pragmáticas e soube levar vantagem sobre as estruturas eclesiásticas já estabelecidas no interior do império. O historiador francês Jacques Le Goff, por exemplo, afirma que a decisão de Constantino visava a uma salvação "que inicialmente é uma salvação terrestre, política, mas que, dada a natureza da religião cristã, logo se torna de natureza religiosa".[18] De todo modo, sessenta e sete anos depois, em 380, o imperador romano Teodósio publica o édito de Tessalônica, que torna o cristianismo a religião oficial do Estado, iniciando a maior transformação histórica da igreja cristã. Antes da cristianização do império havia uma organização local e supralocal menor. Tudo foi alterado com a oficialização imperial.

Nasce, então o "cristianismo": religião oficial do Estado em todo o Império Romano. É interessante notar que tal expressão, usada hoje genericamente para se referir à religião que professa Cristo como Senhor e Salvador, nunca aparece no Novo Testamento. Existe a menção aos "cristãos", isto é, "pequenos cristos", "seguidores de Cristo", mas nunca ao "cristianismo". Tal expressão é, originalmente, carregada de sentidos políticos. O *Dicionário histórico de religiões* registra:

> Pela primeira vez pronunciada por um bispo na cidade turca de Antioquia, ao começar o século 2, esta palavra identifica a religião fundada por Jesus Cristo, cujos dogmas e princípios gravitavam em torno de seus postulados e de seus milagres [...]. No século 4, as decisões do imperador Constantino Magno (285-337; 306/337) muito contribuíram para que o cristianismo viesse a desfrutar de posição predominante na órbita romana. Uma tentativa de retorno ao paganismo, patrocinada por um novo monarca, Juliano, o Apóstata (331-363; 361/363), não surtiu efeito.

Em 395, o imperador Teodósio Magno (346-395; 379/395) oficializou o cristianismo, configurando, assim, a tomada do poder político pela Igreja.[19]

Ocorreu, então, o surgimento do "poder eclesiástico": o clero beneficiou-se do tesouro imperial, os bispos receberam o *status* de senadores, foram construídas igrejas e basílicas cristãs e cunharam-se símbolos cristãos nas moedas. A religião cristã se tornou obrigatória. Ao chegar ao capitólio, a cruz se tornou símbolo de poder e de dominação. Ao unir-se simbioticamente ao império, o cristianismo se vestiu com o esplendor de construções grandiosas. Foram erigidos templos vultosos. A liturgia se tornou suntuosa, demonstrando o poder clerical com vestes, tronos, cantos e cerimonial esplendorosos. As bases populares estavam distantes da compreensão do culto. O padre jesuíta e teólogo mineiro J. B. Libanio ressaltou o contrassenso:

> O fato de o cristianismo tornar-se a religião do Império, sob o olhar da pura história, foi absolutamente surpreendente. Não lhe corria nas veias nenhum sangue zelote de conquistador, de guerrilheiro, de subversivo em busca do poder para impor sua ideologia. Não nutria nenhuma consciência imperial. Antes, pelo contrário, tomava distância de César — "Dai a César o que é de César e a Deus o que é de Deus" (Mt 22.21). E ei-lo no centro do Império.[20]

Tal situação só viria a ser desfeita de modo categórico no período moderno. O jurista Fábio Konder Comparato afirma que, a partir do pensamento do historiador e filósofo político florentino Nicolau Maquiavel (1469-1527), "produziu-se a primeira grande ruptura no sistema ético tradicional, que englobava, num todo harmônico, religião, moral e direito".[21] Maquiavel rompeu com as preocupações típicas do pensamento político medieval, sobretudo o problema da justa relação entre o poder dos príncipes e o da Igreja Católica. Noutra direção, Maquiavel articulou seu pensamento em saber se a autoridade secular possuía legitimidade autônoma ou era apenas derivada do poder político conferido por Deus à Igreja. Maquiavel, então, é responsável por uma descontinuidade em relação à reflexão política anterior e, consequentemente, por rupturas teóricas.

Para Maquiavel, a política deve ser guiada simplesmente por parâmetros políticos. O objetivo da política é o bem do Estado. Juridicamente, a consequência fundamental é a separação da política do direito, e do direito da moral. Em vez de ser a moral a regra e a medida das ciências e atividades sociais, passa a política, no seu campo, a ser independente e reguladora de todas as demais. O pensador e líder católico carioca Alceu Amoroso Lima afirmou: "Está bem caracterizada aí a primeira tentativa de secularização do direito, que marca o início dos tempos modernos".[22] A partir de Maquiavel deu-se, então, o início da secularização e da nacionalização do direito, processo que ganharia impulso com a Reforma Protestante do século 16. Segundo o cientista político Luis Felipe Miguel, "logo em seguida, ocorre o início da Reforma Protestante, que, após um longo e conturbado processo, levaria, no Ocidente, à separação quase completa entre as esferas religiosa e política".[23]

A teologia dos reformadores colocou em xeque a relação entre o poder espiritual, exercido pelos sacerdotes (e, no grau mais alto, pelo Papa), e o poder temporal, cujos detentores eram os príncipes e os reis. Com seu arcabouço teológico e filosófico, os reformadores agradaram aos príncipes descontentes com a submissão à Igreja Católica. Esses príncipes aderiram à religião protestante em diversas regiões da Europa. O jurista Marcelo Campos Galuppo explica que no âmbito jurídico esse período de rupturas teve alguns resultados:

> A separação entre direito e religião, ou seja, a dissolução do amálgama normativo ou do núcleo arcaico do normativo que caracterizava a Antiguidade [...]. Com a Reforma e a Contra-Reforma, os pensadores tentaram fundamentar o direito como uma esfera de existência distinta da religião. Hugo Grócio (1583-1645) fala inicialmente na existência do Direito Natural Racional (subjetivo), mesmo se Deus não existisse. A ordem jurídica e a ordem religiosa passam a ser concebidas como duas realidades distintas. Como aponta Habermas, é nesse processo de diferenciação que se forma o direito moderno, que não se pode conceber como hierarquicamente inferior à moral exatamente porque não deriva diretamente da moral. Antes, derivam ambas as esferas normativas, historicamente, de um mesmo amálgama e, pragmaticamente, de um procedimento de formação de vontade e de tomada de decisões orientadas pelo discurso e comum a ambos.[24]

Desse modo, modificando a cultura política europeia, promovendo rupturas conceituais, desencadeando alianças e inimizades entre príncipes, a Reforma protestante está na matriz de impulsos modernos, tais quais: "a gênese do capitalismo moderno, a formulação da mentalidade livre individualista, a valoração da consciência moral, a contribuição da filosofia dos direitos humanos e, fundamentalmente, o impulso para a moderna concepção de jusnaturalismo".[25]

O atual consenso católico e protestante acerca do Estado civil

Retornando ao nosso tema central, verificamos a concordância no atual posicionamento protestante e católico quanto à separação entre Estado e instituições religiosas, conforme consagrado na Constituição de 1988. O posicionamento católico é bem claro nesse sentido, como se averigua na *Nota doutrinal sobre algumas questões relativas à participação e ao comportamento dos católicos na vida política*, emitida pelo então prefeito da Congregação para Doutrina da Fé, Joseph Ratzinger, sob a aprovação do papa João Paulo II, em novembro de 2002.[26]

Em abril de 2003, o cardeal Ratzinger discursou acerca da nota doutrinal no congresso que teve como tema *A participação e o comportamento dos católicos na vida política*, na Pontifícia Universidade da Santa Cruz, em Roma:

> A posição descrita em nosso documento poderia ser assim resumida: para nós, ou seja, para a convicção da Igreja Católica de todos os tempos, a política pertence à esfera da razão, a razão comum a todos, a razão natural. A política, portanto, é um trabalho que implica o uso da razão e deve ser governada pelas virtudes naturais, tão bem descritas pela antiguidade grega, as quatro virtudes cardeais: a prudência, a temperança, a justiça e a fortaleza.[27]

A explicação de Ratzinger é, ao seu estilo, extremamente clara e didática. Ele prossegue afirmando que a convicção de que o campo da política é o campo da razão comum implica a exclusão de duas posições: a teocracia e o positivismo. Segundo Ratzinger, a postura teocrática é a postura de uma teologização política que viraria ideologização da fé. Em suas palavras, a autonomia da política por meio da razão é uma "justa profanidade — ou também laicidade", que exclui a ideia de uma teocracia, de uma "política determinada pelo ditame da fé". O então cardeal afirmou:

> A política, de fato, não se deduz da fé, mas da razão, e a distinção entre a esfera da política e a esfera da fé pertence realmente à tradição central do cristianismo: nós a encontramos na palavra de Cristo "Dai a César o que é de César e a Deus o que é de Deus". Nesse sentido, o Estado é um Estado leigo, profano, no sentido positivo. Vêm-me à mente, por exemplo, as belas palavras de São Bernardo de Claraval ao Papa de sua época: "Não penses que és o sucessor de Constantino; não és sucessor de Constantino, mas de Pedro. Teu livro fundamental não é o Código de Justiniano, mas a Sagrada Escritura".[28]

Além de evitar a concepção teocrática, tais preceitos também excluem "um positivismo e um empirismo que mutilam a razão". Segundo Ratzinger, a perspectiva positivista e empirista que defende uma razão capaz apenas de perceber as coisas materiais, empíricas, verificáveis ou falsificáveis por métodos empíricos, torna a razão cega no que diz respeito aos valores morais e não poderia julgá-los, pois fariam parte da esfera da subjetividade e não da objetividade de uma razão limitada ao verificável, ao empírico e positivista. Ele vai além:

> Tal mutilação da razão, que se limita ao constatável, ao empírico, ao verificável e ao falsificável segundo métodos materiais, destrói a política e, como disse o senador Cossiga, a reduz a uma ação puramente técnica que deveria seguir simplesmente as correntes mais fortes do momento, submetendo-se, portanto, ao transitório e também ao ditame irracional. E aqui está a outra intenção

do nosso documento: enquanto, de um lado, excluímos uma concepção teocrática e insistimos sobre a racionalidade da política, de outro, excluímos também um positivismo pelo qual a razão seria cega para os valores morais, e estamos convencidos de que a razão tem a capacidade de conhecer os grandes imperativos morais, os grandes valores que devem determinar todas as decisões concretas.[29]

A postura católica romana contemporânea, portanto, advoga a separação das esferas religiosas e de atividade política em termos de legalidade estatal, ao negar a teocracia. A Nota Doutrinal o faz explicitamente no capítulo III, ao afirmar a importância da laicidade:

> Para a doutrina moral católica, a laicidade entendida como autonomia da esfera civil e política da religiosa e eclesiástica — mas não da moral — é um valor adquirido e reconhecido pela Igreja, e faz parte do patrimônio de civilização já conseguido. João Paulo II repetidas vezes alertou para os perigos que derivam de qualquer confusão entre esfera religiosa e esfera política.[30]

A nota cita parte da mensagem do papa João Paulo II para celebração do Dia Mundial da Paz, em 1991:

> São extremamente delicadas as situações em que uma norma especificamente religiosa se torna, ou tende a tornar-se, lei de Estado, sem que se tenha na devida conta a distinção entre as competências da religião e as da sociedade política. Identificar a lei religiosa com a civil pode efetivamente sufocar a liberdade religiosa e até limitar ou negar outros direitos humanos inalienáveis.[31]

Em 2013, em seu encontro com o episcopado brasileiro, o papa Francisco reafirmou a posição contemporânea do catolicismo em relação às leis da sociedade:

> No âmbito da sociedade, há somente uma coisa que a Igreja pede com particular clareza: a liberdade de anunciar o evangelho de modo integral, mesmo quando ele está em contraste com o mundo, mesmo quando vai contra a corrente, defendendo o tesouro de que é somente guardiã, e os valores dos quais não pode livremente dispor, mas que recebeu e deve ser-lhes fiel.[32]

Desse modo, ocorre uma aproximação estreita do catolicismo com a tradição protestante que, em sua forma mais estruturada, remonta sobretudo a Calvino. Como afirmou o jurista Comparato, ao contrário de Lutero, Calvino não dispersou a exposição de sua doutrina em vários escritos de circunstância, mas concentrou-se em uma obra maior, as *Institutas da Religião Cristã*, cujo conteúdo foi sendo notavelmente ampliado em sucessivas edições.[33]

A estrutura da obra magna de Calvino é clara: o primeiro livro trata sobre o Deus criador e sua soberania em relação àquilo que criou; o segundo trata da necessidade de salvação do ser humano e de como ele pode alcançar essa redenção por meio de Jesus Cristo; o terceiro aborda a maneira pela qual o ser humano se apropria dessa redenção; e o quarto livro trata da Igreja e de seu relacionamento com a sociedade, seção que ficou conhecida como *o capítulo político das Institutas*.

Conforme salienta o jurista espanhol Fernando Rey Martínez, "diferentemente de Lutero, que exibe a típica antropologia pessimista da tradição agostiniana, Calvino sustenta uma opinião positiva sobre o direito".[34] A visão jurídica de Calvino amadureceu com o tempo e, segundo o cientista da religião Armando Araújo Silvestre, "pode-se afirmar que Calvino atingiu melhor evolução em sua postura política apenas na fase final de sua vida, dos anos 1559 a 1564".[35] O pensamento tardio de Calvino sobre as questões políticas teve tendências diferentes. De acordo com o jurista americano John Witte Jr., após a experiência de Calvino como estadista em Genebra, ele "passou a pensar em termos mais integrados e mais institucionais".[36]

Tal pensamento pode ser sintetizado do seguinte modo: Calvino concebia a Igreja e o Estado como duas entidades interdependentes, tendo cada uma recebido sua própria autoridade do Deus soberano. Dessa maneira, em sua visão, Igreja e Estado se aproximam e distanciam em sentidos diferentes, por meio de uma relação de complementariedade e distinção. A relação de complementaridade é clara nos escritos tardios de Calvino, que afirmou sobre as autoridades civis em relação a Deus:

> É, pois, perfeitamente razoável que, sendo seus representantes, devam se empenhar na manutenção da honra divina. Os bons reis eleitos por Deus são expressamente louvados na Escritura por haverem restaurado o culto divino quando esse se achava corrompido ou decadente, ou então por terem se ocupado para que a verdadeira religião florescesse e permanecesse em sua integridade.[37]

Segundo Wilhelm Wachholz, pastor e historiador da Teologia, "a partir dessa compreensão, a teologia calvinista passou a

70 BRASIL POLIFÔNICO

defender que a Igreja e o Estado cooperam no disciplinamento, na formação e na instrução do povo".[38] Em contrapartida, caberia à Igreja orar em favor do Estado e advertir suas faltas em relação à Lei de Deus. O economista suíço André Biéler escreveu:

> A dupla função da Igreja — de oração e de advertência — leva-a, pois, a recorrer ao Estado para exercer sua disciplina e aplicar as sanções necessárias. O Estado é livre para responder ou não às solicitações da Igreja, aplicando sempre a sistemática e as normas fixadas pelas leis civis. O Estado não deve prestar conta alguma à Igreja. Com isso, Calvino não defendeu nem a teocracia nem o sistema césaro-papista. O ideal reformado calvinista era o de uma Igreja politicamente livre, inteiramente dependente da Palavra de Deus, em um Estado que a respeitasse e lhe favorecesse o ministério.[39]

Mas a relação entre Igreja e Estado tem um segundo aspecto: tratam-se de entidades distintas. Nesse sentido, a cooperação entre Igreja e Estado não significa a mistura dos dois. Calvino ressaltou que os magistrados deveriam ater-se aos propósitos políticos, detendo o poder temporal da espada, sem interferir na esfera das atuações eclesiásticas. Tanto o Estado quanto a Igreja são entidades legais e cada instituição possui a própria forma de organização e de ordem, além de suas normas de disciplina. Cada instituição é vocacionada para desempenhar um papel distinto na construção de um bom governo para a comunidade.

Calvino aplicou suas ideias em sua atuação política. Por um lado, procurou influenciar a sociedade genebrina a partir de sua ocupação religiosa; por outro, procurou submeter-se à autoridade civil. Embora a separação entre Igreja e Estado não tenha acontecido em Genebra durante a vida de Calvino, pode-se afirmar que ela se tornou uma realidade histórica graças ao desenvolvimento posterior de suas ideias por seus seguidores.[40]

As confissões protestantes subsequentes ao pensamento calvinista, em suas múltiplas denominações e variantes, concordarão com tais postulados. Documentos emblemáticos ao protestantismo, como a *Confissão de Fé de Westminster*, elaborada entre 1643 e 1649 (que dedica o Capítulo XXIII ao tema "Do Magistrado Civil")[41] e o *Pacto de Lausanne*, de 1974 (em implicações dos parágrafos 5 e 13), reafirmam a separação entre Igreja e Estado. Segundo o comentário de John Stott a esse pacto, o parágrafo 13 — acerca de "Liberdade e perseguição" — aborda o "espinhoso tema das relações entre a Igreja e o Estado", reconhecendo que cada um tem deveres mútuos, que as liberdades religiosas devem ser preservadas por força da Declaração Universal dos Direitos Humanos (1948) e, "mais importante ainda, a garantia de tais liberdades está de acordo com a vontade de Deus, pois ele instituiu 'autoridades superiores' para punir criminosos e recompensar os bons cidadãos, não para suprimir liberdades legítimas e menos ainda para tiranizar os inocentes".[42]

A conclusão é que o *corpus* legislativo brasileiro, as tradições secularistas, católicas e protestantes e seus respectivos posicionamentos contemporâneos afirmam de modo uníssono a separação entre Estado e instituições religiosas.

Portanto, qualquer tentativa de aparelhamento político da fé ou aparelhamento religioso da política é uma anomalia conceitual e um retrocesso. Tal constatação nos leva ao próximo ponto: a garantia dos direitos fundamentais, também conhecidos como direitos humanos, no Estado democrático de direito.

3

DIREITOS HUMANOS E ESTADO DEMOCRÁTICO DE DIREITO

O debate público brasileiro do início do século 21 está cheio de pontos escuros, gritos desconexos e bravatas moralistas. É necessário revisitar nossa própria história, reler os poetas que expuseram nossa consciência, ouvir a música que a nação compôs, perceber nossa memória coletiva, sob pena de velhas violências ressurgirem. Não podemos nos esquecer de que o Estado Democrático de Direito e a garantia dos direitos fundamentais são conquistas de nossa civilização que trazem vantagens a todos os brasileiros, de todos os credos religiosos e todas as orientações político-ideológicas.

Infelizmente, na efervescência das discussões políticas brasileiras é cada vez mais comum ouvir comentários ingênuos como: "Defender direitos humanos é uma besteira"; "Igreja não tem nada a ver com política"; "Os artistas não podem produzir imagens que me ofendam", "Intervenção militar já!", "O Brasil deveria instituir a tortura legalmente". Esses burburinhos constantes, além de serem impropérios, estão todos relacionados à questão dos direitos fundamentais, garantias previstas pelo paradigma do Estado Democrático de Direito.

Esses direitos basilares podem ser considerados, sem exageros, como um grandioso monumento jurídico-cultural da civilização humana como um todo — civilização ferida por barbáries das mais horrendas, como guerras sanguinárias, campos de tortura, violência contra os mais vulneráveis, extermínio de etnias. As conquistas dos direitos reorientam a humanidade ao convívio pacífico e à coexistência das pessoas, a despeito de suas diferenças de opinião. A lei brasileira está afinada à comunidade internacional na defesa e na promoção desses valores jurídico-políticos. A história tem o poder de advertir e, também, de clarear conceitos. Por isso, precisamos entender como chegamos aos postulados dos direitos fundamentais recepcionados pela legislação brasileira.

Com esse objetivo em mente, abordarei ao longo deste capítulo o desenvolvimento dos direitos fundamentais a partir de uma cronologia da história política, da Revolução Francesa ao término da Segunda Guerra Mundial, delineando os projetos filosófico-econômico-políticos que os impulsionaram, tais como o Iluminismo, o liberalismo e o marxismo. Depois, apresentarei a sistematização comumente utilizada pelos juristas para explicar didaticamente os direitos fundamentais: as chamadas "gerações" ou "dimensões" de direitos.

O moderno corpo dos direitos fundamentais é formado a partir de ideias e valores que buscam uma sociedade livre, justa e solidária, a saber: liberdade, igualdade e fraternidade. Essas ideias têm como fontes remotas a tradição judaico-cristã. Conforme afirmaram os juristas franceses Jean Rivero e Hugues Moutouh:

[...] a própria noção de direitos do homem supõe uma civilização em que a dignidade da pessoa humana se mostra em evidência. Alguns filósofos do mundo antigo a haviam pressentido. Mas o cristianismo, nesse ponto herdeiro da tradição judaica enriquecida e renovada, deu-lhe os fundamentos que progressivamente a impuseram.[1]

Segundo o ensinamento cristão, o homem deve sua dignidade à sua origem e, a um só tempo, ao seu fim: criado por Deus, à imagem de Deus, e chamado a um destino eterno que transcende tudo o que pertence ao campo temporal. Paulo escreveu em sua carta bíblica aos Gálatas: "Não há mais judeu nem gentio, escravo nem livre..." (Gl 3.28).

Para Rivero e Moutouh, a compreensão cristã do valor intrínseco do ser humano pode não ser fonte direta, mas certamente moldou as mentalidades que viabilizaram a irrupção dos direitos humanos.

O projeto iluminista

As fontes diretas dos direitos fundamentais remontam ao Iluminismo do século 18. Apesar do que comumente é dito, não se pode reduzir o projeto iluminista, de modo simplista, às noções de culto à razão e crença no progresso. Em seu estudo *O espírito das Luzes*, o filósofo búlgaro Tzvetan Todorov afirma: "três ideias se encontram na base desse projeto, as quais nutrem também suas inumeráveis consequências: a autonomia, a finalidade humana de nossos atos e, enfim, a universalidade".[2] Considero válido esboçarmos as três linhas explicativas propostas por Todorov.

Primeiro, os iluministas preconizavam a *autonomia* das pessoas. Como afirmou Jean-Jacques Rousseau nas célebres linhas iniciais da obra *Do contrato social*, "o homem nasce livre, e em toda parte é posto a ferros".[3] A primeira autonomia seria a do conhecimento: as pessoas precisam de emancipação da tutela alheia para examinar, questionar, criticar, colocar em dúvida. A liberação do conhecimento abriria as portas para o progresso da ciência. Os promotores desse novo pensamento queriam levar "luzes" a todos, pois estavam convencidos de que elas serviriam ao bem geral, uma vez que o conhecimento é libertador. Por essa razão, os iluministas foram grandes incentivadores da educação em todas as suas formas, desde a escola até as academias, e da difusão do saber, por publicações especializadas ou por enciclopédias dirigidas ao grande público.

Segundo, os iluministas eram *antropocêntricos*. Conforme Todorov, o princípio iluminista de autonomia revoluciona tanto a vida do indivíduo quanto a das sociedades. A autonomia do indivíduo leva à descoberta do meio natural, feito de florestas, torrentes, colinas e clareiras e, paralelamente, concede um lugar novo aos artistas e a suas práticas. Pintores, músicos, atores e escritores não mais são simples animadores ou decoradores, tampouco meros servidores de corporações religiosas, monarcas ou mestres. Todorov afirma que o artista no período iluminista se torna a encarnação exemplar de uma atividade apreciada: "O artista criador é quem decide por si suas próprias composições e as destina a um prazer puramente humano. Essas duas atribuições de valor atestam a nova dignidade concedida ao mundo sensível".[4] O desencantamento do mundo altera as noções políticas e jurídicas: o homem passa a ser origem e finalidade das leis. O povo é a fonte de poder. Está consumada a separação do político (que se organiza em função de seus próprios critérios) e do teológico. Assim, o delito, dano causado à sociedade, é o único a ser reprimido e deve ser diferenciado do pecado, falta moral para com uma tradição.

Terceiro, os iluministas tinham *aspirações universais*. Na conclusão de seu ensaio, Todorov afirma que, para o iluminista, todos os homens pertencem à mesma espécie e têm, por conseguinte, direito à mesma dignidade. Ocorre que a França daquela época, por exemplo, estava longe de satisfazer a essa exigência. Sua população estava dividida em castas que não gozavam dos mesmos privilégios, as mulheres não tinham os mesmos direitos que os homens e os escravos não tinham nenhum direito. Por essa razão, a revolução ocorre, em 1789, sob o lema "Liberdade, igualdade e fraternidade" (esse entendimento é essencial na compreensão dos direitos fundamentais como veremos a seguir). Os iluministas visavam a transformar essa situação em termos amplos, com base na ideia de que, além das fronteiras dos países, o que os homens têm em comum é mais essencial do que aquilo que têm de diferente.

A codificação dos direitos liberais

O pensamento dos autores iluministas revolucionou a legislação mundial de seu tempo, gerando documentos como a Declaração de Independência dos Estados Unidos (1776), a Constituição do Estado de Virgínia (1776), a Constituição dos Estados Unidos (1788) e a Declaração dos Direitos do Homem e do Cidadão (1789).

Aquele foi um período de afirmação das liberdades individuais políticas e civis, ou "liberdade dos antigos" e "liberdade dos modernos". Essa distinção corresponde a duas concepções diferentes de liberdade, conforme o político franco-suíço Benjamin Constant sistematizou, opondo a liberdade política dos antigos à liberdade civil dos modernos.

Na cidade-estado grega, apenas os cidadãos podiam participar das decisões políticas na assembleia do povo, mas o conceito de "cidadão" excluía mulheres, escravos e estrangeiros. Os modernos, por sua vez, queriam mais liberdade para seguir sua própria vida e não tanto mais possibilidades de participação da vida pública. Portanto, a "liberdade dos modernos" é chamada de "liberdade negativa": eles queriam subtrair o domínio do Estado de sua vida particular. Assim, conforme Rivero e Moutouh afirmam, uma ideia fundamental ocupa lugar na Declaração dos Direitos do Homem e do Cidadão:

> O único sujeito ao qual a Declaração reconhece direitos é o Homem, ou seja, o indivíduo considerado isoladamente. [...] O individualismo afeta também as liberdades reconhecidas: todas têm como característica comum poderem ser exercidas pela vontade de um só. As liberdades coletivas, que supõem que vários se entendam para exercerem juntos, são ignoradas pela Declaração.[5]

De acordo com os dois juristas, esse individualismo desabrochou fora da Declaração, nos terrenos econômico e social. Assim, o liberalismo político acabou gerando liberalismo econômico.

A luta pelos direitos sociais e o pensamento marxista

Mazelas sociais como desigualdade, miséria e escravidão, intensificadas no curso do século 19 com a industrialização e o imperialismo, levaram à retração das noções liberais e ao surgimento do marxismo. Baseado nos escritos do filósofo, sociólogo e jornalista prussiano Karl Marx, em cooperação com o teórico revolucionário alemão Friedrich Engels, o

DIREITOS HUMANOS E ESTADO DEMOCRÁTICO DE DIREITO 79

socialismo científico, ou marxismo, é um vasto *corpus* de textos e doutrinas.

O ponto de partida marxista não é o indivíduo como unidade básica — ao contrário do liberalismo filosófico —, mas a ideia de totalidade social. Como afirmou o jurista Wayne Morrison, "o marxismo é um produto radical da busca iluminista de resposta a problemas da condição humana, por meio de uma análise cabal da sociedade humana, da história, dos fracassos e do poder humanos nos limites deste mundo".[6]

O marxismo viria a fornecer uma estrutura de entendimento por meio da qual pode-se explicar a sociedade do passado e a do presente e prever o desenvolvimento futuro da humanidade. Morrison defende que a criação de uma história ou narrativa adequada a passado, presente e futuro é crucial para o autoentendimento e a confiança das sociedades ocidentais modernas. Boa parte do enfoque marxista está na criação de uma filosofia da história. Morrison escreveu:

> Esta é uma tarefa necessária para Marx, uma vez que, sem um conhecimento dos modos primitivos de atividade produtiva, o capitalismo e a estrutura burguesa da vida, suas formas de liberdade individual e de interação social, pareciam ser nosso modo de vida natural, e sua realidade desumana permaneceria sendo um mistério. Precisamos usar a razão crítica para destruir a capacidade da economia política capitalista de representar a si própria como forma natural das verdades imutáveis e eternas; se pudermos mostrar que o obstáculo à satisfação existencial é uma forma histórica específica de interação social, então nossas limitações não serão inevitáveis.[7]

As enormes pretensões explicativas marxistas são reflexos da concepção dialética de História do filósofo alemão Georg

80 BRASIL POLIFÔNICO

Hegel. A afirmação central da dialética hegeliana é que o desenvolvimento do espírito ocorre de tal modo que pode ser captado pela tríade tese-síntese-antítese: em primeiro lugar, há uma ideia, uma teoria ou um movimento que se pode designar como "tese". Essa tese provoca reações que explicitam suas fraquezas, e isso constitui a "antítese". A luta entre as duas posições persiste até que se possa encontrar uma solução, que, de certo modo, vá além da tese e da antítese. Essa solução é o que constitui a "síntese", que por sua vez, num novo ciclo, poderá funcionar como tese de uma nova antítese.[8]

A partir desse processo, Hegel elabora uma robusta filosofia da História, que fornecerá elementos fundantes para o pensamento marxista, como a concretude da existência; a racionalidade da história; a importância da negação, da superação e da dialética; e a filosofia do espírito. Esse arcabouço explicaria toda a sociedade: família, Estado, sociedade civil, arte, religião e filosofia.

O marxismo critica determinados conceitos hegelianos, mas está imbuído de seu eixo central: a construção de uma narrativa monumental. No caso do marxismo, a narrativa culmina no comunismo. O professor Fernando Magalhães afirmou:

A essa desvalorização humana para quem trabalha (ausência de reconhecimento e do resultado final do produto desse trabalho) e aumento da riqueza para quem vive do ócio, em função da propriedade, Marx chamou de alienação. Daí a necessidade de sua superação o que só pode ocorrer em outra formação-social que não a produtora de mercadorias — o capitalismo. Essa, portanto, deve ser negada. "O comunismo" — diz Marx — "é a negação da negação e é, por conseguinte, para a próxima etapa do desenvolvimento histórico, um fator real e necessário na emancipação e reabilitação do homem. O comunismo é a forma necessária e o princípio dinâmico do futuro imediato, mas o comunismo não é em si mesmo a meta do desenvolvimento humano — a forma da sociedade humana.[9]

Marx ampliou seus estudos e desenvolveu as concepções de mais-valia, materialismo-dialético, revolução do proletariado e ação política, sobretudo na obra *O capital*. Contudo, a principal contribuição do marxismo para os direitos fundamentais não foram tanto suas ideias filosóficas, mas a sua atuação política em favor das classes trabalhadoras, que sofriam na miséria extrema com a implantação do capitalismo industrial. A grande narrativa marxista assumiu contornos místicos e políticos.[10] O jurista Morrison afirma:

> [o marxismo aproxima-se] do desejo escatológico referido na Bíblia: o Velho Testamento aludira a um tempo futuro em que Deus estabeleceria para sempre seu reino de justiça e paz (Is 11.1-9); o Novo Testamento afirma que Cristo representa a superação da morte e que os fiéis participam da promessa e vida eterna. Enquanto passam pelos sofrimentos desta vida, eles têm uma antevisão do tempo por vir (Jo 3.36; 5.24). Enquanto a filosofia marxista da história deve sua forma à dialética de Hegel, seu conteúdo deve muito a uma secularização da escatologia cristã.[11]

A narrativa marxista impulsionou inúmeros movimentos cognominados socialistas, anarquistas, guesdistas e blanquistas, entre outros. O aspecto retórico da escrita de Marx instigou trabalhadores à ação e à revolução. O *Manifesto do Partido Comunista* foi publicado em 1848, em meio às lutas urbanas revolucionárias que ocorriam por toda a Europa, também conhecidas como Primavera dos Povos. Na conclusão do Manifesto, Marx e Engels conclamam: "Trabalhadores do mundo, uni-vos!".[12] A doutrina político-econômica do socialismo objetivou promover o igualitarismo, isto é, a igual distribuição de bens e riquezas produzidas por uma sociedade, indo além da igualdade jurídica e promovendo a igualdade social — consequentemente, o bem-estar social.

A institucionalização dos direitos humanos e do Estado Democrático de Direito

A primeira metade do século 20 vivenciou a implosão do otimismo iluminista, com as duas guerras mundiais, armas de destruição em massa e toda a violência, o terror e as demais atrocidades cometidas pelos regimes totalitários. A segunda metade do século 20 foi o palco da Guerra Fria, que polarizou a civilização entre capitalistas e socialista, ocidentais e soviéticos, EUA e URSS. Foi um século marcado pelo fim de antigas utopias.

O historiador britânico Eric Hobsbawn escreveu: "Para o poeta T. S. Eliot, 'é assim que o mundo acaba — não com uma explosão, mas com uma lamúria'. O breve século 20 se acabou com os dois".[13] É inquestionável que o século 20 nos legou uma atmosfera — e também escritos filosófico-políticos — carregados de niilismo e pessimismo. O economista mineiro Eduardo Gianetti se refere ao fim de uma tríplice ilusão que havia caracterizado a civilização nos séculos anteriores:

O mundo moderno nasceu e evoluiu embalado por três ilusões poderosas: a de que o pensamento científico permitiria gradualmente banir o mistério do mundo e assim elucidar a condição humana e o sentido da vida; a de que o projeto de explorar e submeter a natureza ao controle da tecnologia poderia prosseguir indefinidamente sem atiçar o seu contrário — a ameaça de um terrível descontrole das bases naturais da vida; e a de que o avanço do processo civilizatório promoveria o aprimoramento ético e intelectual da humanidade, tornando nossas vidas mais felizes, plenas e dignas de serem vividas. Se é verdade que uma era termina quando as ilusões fundadoras estão exauridas, então o veredicto é claro: a era moderna caducou.[14]

O sociólogo Sérgio Abranches sintetiza:

O século 20 marcou o auge e o declínio da sociedade fundada pelo Iluminismo. Com as crises do final da década de 1990 e o início dos anos 2000, a aceleração dessa mudança nos trouxe ao ponto em que nos encontramos, de esgotamento dos paradigmas societários, que chegaram ao apogeu no século 20, e de início da grande transição atual.[15]

O início do século 21 é, portanto, um período de mudanças mais profundas na configuração estrutural da sociedade global. Como afirma o sociólogo e ex-presidente da República, Fernando Henrique Cardoso:

Não há mais uma grande narrativa embasando e orientando uma estratégia uniforme de transformação social. Espontaneidade e fragmentação são elementos constitutivos da nova sociedade, e esta diversidade é um fator de enriquecimento da democracia. Os cidadãos têm, hoje, identidades e interesses múltiplos e cambiantes. Estilos de vida, padrões de consumo, idade, pertencimento religioso, orientação sexual representam fontes mais poderosas de identidade do que o *status* social.[16]

84   BRASIL POLIFÔNICO

Contudo, se por um lado as utopias e ideologias político-
-econômicas desmoronaram, por outro, os direitos humanos se
institucionalizaram em praticamente todas as constituições contemporâneas. O jurista americano William A. Edmundson afirma que a primeira expansão da retórica dos direitos ocorreu no
fim do século 18. Depois de um lapso de retração, "estamos viven-
do, atualmente, o segundo período de expansão da retórica dos
direitos, o qual começou logo após a Segunda Guerra Mundial,
com a Declaração Universal dos Direitos Humanos, em 1948".[17]

Após a Segunda Guerra, com a reconfiguração da ordem
política global, foi consolidado o paradigma do Estado Democrático de Direito. Nesse modelo de Estado, há uma expansão
da democratização política e uma busca pela proteção dos direitos fundamentais. Esses direitos incluem não apenas os asse-
gurados pelos liberais (direitos civis) e pelos socialistas (direitos
sociais), mas também uma nova geração de direitos, como os
referentes à humanidade (dignidade de cada pessoa), os referentes a categorias específicas (direitos dos deficientes físicos e
das crianças, por exemplo), e os referentes a minorias étnicas
ou religiosas. Os juristas passaram a agrupar de modo didático
os direitos fundamentais por "gerações" ou "dimensões":

a) A primeira geração ou dimensão de direitos englobaria
os direitos da tradição liberal, as liberdades negativas e os direitos civis e políticos — desde o período da Revolução Francesa.

b) A segunda geração ou dimensão de direitos agrupa os
direitos defendidos pelas tradições comunitaristas, as liberdades positivas, reais ou concretas, assegurando o princípio da
igualdade material entre os seres humanos. São os direitos sociais (como direito a saúde, moradia e alimentação), frutos das

reivindicações do proletariado, do socialismo, dos sindicatos. A Constituição do México (1917), a Constituição de Weimar (1919) e o Tratado de Versalhes (1919), que estabelece a Organização Internacional do Trabalho, são emblemáticas quanto a esses direitos.

c) A terceira geração ou dimensão de direitos consagra os direitos relativos às coletividades, sendo atribuídos genericamente a todas as formações sociais, protegendo interesses de titularidade coletiva ou difusa (como direito ao desenvolvimento, ao meio ambiente e à paz). São direitos ligados aos princípios da solidariedade e da fraternidade, impulsionados após a Declaração Universal dos Direitos Humanos.

A jurisprudência do Supremo Tribunal Federal brasileiro sintetiza as dimensões de direitos fundamentais:

> Enquanto os direitos de primeira geração (direitos civis e políticos) — que compreendem as liberdades clássicas, negativas ou formais — realçam o princípio da liberdade e os direitos de segunda geração (direitos econômicos, sociais e culturais) — que se identificam com as liberdades positivas, reais ou concretas — acentuam o princípio da igualdade, os direitos de terceira geração, que materializam poderes de titularidade coletiva atribuídos genericamente a todas as formações sociais, consagram o princípio da solidariedade e constituem um momento importante no processo de desenvolvimento, expansão e reconhecimento dos direitos humanos, caracterizados, enquanto valores fundamentais indisponíveis, pela nota de uma essencial inexauribilidade.[18]

Utiliza-se o termo "gerações" ao se referir à cronologia em que os direitos foram conquistados legislativamente, mas também o termo "dimensões", para se referir aos escopos de cada grupo de direitos em relação ao lema da Revolução Francesa: os direitos de primeira dimensão relacionados à liberdade; os de segunda dimensão, à igualdade; e os de terceira dimensão, à fraternidade.

A doutrina jurídica já discute as hipóteses das novas gerações/dimensões dos direitos de modo inconclusivo. Seja como for todas as dimensões dos direitos fundamentais têm como centro de gravidade o ser humano. Desde a Declaração Universal dos Direitos Humanos,[19] há uma ênfase muito direta na noção de dignidade da pessoa humana. A Declaração menciona em seu preâmbulo "o reconhecimento da dignidade inerente a todos os membros da família humana" e, em seu artigo 1º, afirma: "Todos os seres humanos nascem livres e iguais em dignidade e direitos".

O filósofo e sociólogo alemão Jürgen Habermas observa em seu ensaio *O conceito de dignidade humana e a utopia realista dos direitos humanos* que há uma assimetria temporal entre a ideia de "direitos humanos" que remonta ao século 17 e o surgimento recente do conceito de "dignidade humana" nas codificações do século 20. Habermas destaca que somente após o final da Segunda Guerra Mundial o conceito filosófico de dignidade humana, que entrou em cena já na Antiguidade e adquiriu em Kant sua acepção válida atualmente, tenha sido positivado nas leis contemporâneas.

Habermas afirma: "Com certeza, os documentos de fundação das Nações Unidas, que estabelecem expressamente o vínculo dos direitos humanos com a dignidade humana, foram uma resposta evidente aos crimes de massa cometidos sob o regime nazista e aos massacres da Segunda Guerra Mundial".[20]

O filósofo argumenta que a noção de "dignidade humana" sempre esteve inserida no conceito de "direitos humanos"; contudo, as barbáries históricas impulsionam o Direito a clarificar e explicitar seus termos.

A compreensão da construção histórica dos direitos fundamentais é basilar, porque dissipa os equívocos e as falácias daqueles que procuram compartimentalizá-los dentro de alguma ideologia política, credo religioso ou doutrina filosófica. Os direitos humanos não são coisa de "marxistas", "liberais", "iluministas" ou "cristãos". As garantias fundamentais não têm orientação religiosa ou não religiosa, cética ou supersticiosa, de direita ou de esquerda, do Norte ou do Sul. A conquista desses direitos são conquistas do gênero humano, dizem respeito a todos nós. Todos contribuíram e muitos morreram para que eles fossem positivados nas leis de praticamente todas as Nações da Terra. Como afirma Habermas:

> Hoje ninguém pode pronunciar algum desses artigos veneráveis — por exemplo, o princípio: "ninguém será submetido a tortura nem a penas ou a tratamentos cruéis, desumanos ou degradantes" (Declaração Universal dos Direitos Humanos, artigo 5) — sem ouvir o eco que ressoa do grito de incontáveis criaturas humanas torturadas ou assassinadas. O apelo aos direitos humanos alimenta-se da indignação dos humilhados pela violação de sua dignidade humana.[21]

Aonde tudo isso nos leva?

Tendo em vista o que vimos neste capítulo, fica claro que as discussões políticas contemporâneas na sociedade brasileira precisam, partir da defesa das instituições democráticas e da garantia pelos direitos fundamentais conquistados. As palavras escritas pela filósofa política alemã Hannah Arendt durante a Guerra Fria já alertavam:

> A guerra — desde tempos imemoriais, árbitro último e implacável em disputas internacionais — perdeu muito de sua eficácia e quase todo o seu fascínio. O jogo de xadrez "apocalíptico" entre as superpotências, quer dizer, entre aqueles que manobram no mais alto plano de nossa civilização, está sendo jogado de acordo com a regra de que "se alguém vencer é o fim para ambos".[22]

Assim, o uso público da razão e a garantia dos direitos fundamentais precisam caminhar juntos. É evidente que a estabilidade mundial não é garantida apenas por meras leis. Conforme o filósofo político e historiador italiano Norberto Bobbio afirmou em seu livro *Democracia e segredo*, a absoluta transparência das democracias não é possível por, essencialmente, duas razões: (1) a presença no sistema internacional de Estados não democráticos, nos quais o segredo é regra e não exceção; e (2) o fato de que o sistema internacional em seu conjunto é um sistema não democrático, ou, na melhor das hipóteses, é um sistema democrático potencial apoiado na Carta das Nações Unidas, mas não nos fatos (porque, em última instância, a ordem internacional ainda repousa num sistema tradicional de equilíbrio).[23] A sociedade internacional tem uma tendência instável e é regida pelo princípio da autodefesa. Não custa repetir: a salvaguarda dos direitos e a atividade política pautada em discussões racionais, republicanas e que visem ao bem comum precisam sempre andar juntas.

Outra advertência está na análise que Tzvetan Todorov apresenta na obra *Os inimigos íntimos da democracia*. Ele afirmou que a derrocada do nazi-fascismo, em 1945, e o fim do comunismo soviético, simbolizado pela queda do Muro de Berlim, em 1989, cravaram a vitória das democracias liberais. Com a desintegração das utopias, as democracias liberais no início do século 21 não teriam mais nenhum inimigo externo. O terrorismo islâmico, por exemplo, não representaria um opositor do ponto de vista de uma teoria de ordenação social.

Segundo Todorov, "nenhum modelo de sociedade diferente do regime democrático se apresenta hoje como seu rival; muito pelo contrário, vê-se uma aspiração à democracia se manifestar quase por toda parte onde ela antes estava ausente".[24] Assim, os novos inimigos da democracia liberal seriam aqueles gerados dentro de si própria. São inimigos sutis, travestidos de detentores de autênticos valores democráticos. Todorov afirmou que as democracias atuais são um complexo e intricado arranjo de valores, como autonomia, liberdade e progresso. Mas, se qualquer desses valores se emancipar de suas relações com os demais, se torna uma ameaça, como, por exemplo, populismo, ultraliberalismo ou messianismo. Assim, no início do século 21 enfrentamos o perigo do *descomedimento*.

Entre os descomedimentos internos à democracia, o messianismo político seria um dos mais complicados. Para Todorov, o messianismo político atravessa uma fase específica na contemporaneidade, a da imposição da democracia pelas bombas. Nessa fase, que se iniciaria nos anos 1989-1991, os Estados ocidentais atuariam para impor o regime democrático e os direitos humanos pela força. O messianismo político seria, assim, um novo moralismo, um novo modo de "impor o bem". As guerras da história recente, como as ocorridas em

Kosovo, Afeganistão, Iraque e Líbia, seriam exemplos disso, e se assemelhariam às Cruzadas medievais. E por que o projeto de impor o bem é perigoso? Todorov responde:

> Ao longo da história, numerosas intervenções militares recorreram a essa postura quase moral, mas elas parecem caracterizar mais particularmente o messianismo político ocidental. O esquema é o mesmo: no momento da ação, anunciam-se as intenções universais e morais — trata-se de melhorar a sorte da humanidade, ou a de uma de suas partes —, o que provoca um movimento de entusiasmo e, por conseguinte, facilita a realização do projeto. As pessoas se persuadem de que, pelo simples efeito da vontade coletiva, é possível alcançar qualquer fim e avançar indefinidamente no caminho do progresso. Algum tempo depois — um ano, um século —, percebe-se que o objetivo pretensamente universal não o era, que ele correspondia sobretudo aos interesses particulares daqueles que o tinham formulado.[25]

Esse é um problema que não pode ser menosprezado: a arena política é carregada de jogos de linguagem, pressupostos ideológicos e manobras retóricas. Necessitamos estar alertas para que o discurso dos direitos humanos não se torne pretexto para atitudes desumanas.

Não se pode questionar a importância da institucionalização dos direitos fundamentais. O filósofo americano John Rawls afirmou: "os direitos humanos estabelecem um padrão necessário, embora não suficiente, para a decência das instituições políticas e sociais domésticas".[26] A luta pelos direitos permanece aberta. Mas, como Bobbio aponta na obra A era dos direitos, já passamos da época de fundamentação dos direitos para a era da implementação dos direitos.[27]

Creio que, além da implementação legal e da luta pela efetivação desses direitos, precisamos estabelecer linhas consistentes de diálogos públicos à luz de uma razão sóbria. Não mais uma razão prepotente, instrumentalizada ou irônica, mas uma razão equilibrada, sábia, madura — à altura da idade da humanidade. Depois de tanto sofrimento, não podemos manter uma racionalidade infantilizada diante dos problemas graves que enfrentamos.

Até aqui destacamos a importância da legalidade e da garantia dos direitos humanos como importantes conquistas da nossa civilização, em contraposição ao caráter fragmentado e pós-factual que empobrece o debate político brasileiro contemporâneo. O crescimento da influência evangélica sobre diversos setores da sociedade brasileira tem gerado múltiplos atritos. Vimos, então, a importância do Estado Democrático de Direito como garantia do convívio entre cidadãos com diferentes crenças, em contraposição às arbitrariedades. Essas luzes dissipam trevas de obscurantismo e retrocessos do ponto de vista jurídico-cultural e delineiam aspectos fundantes de nossa sociedade. Se até este ponto falamos sobre *Estado* e sobre *direito*, é preciso falar agora sobre *democracia*.

4

DEMOCRACIA:
DO AREÓPAGO À *EKKLESIA*

A originalidade da democracia pode ser percebida ao compará-la aos nomes de outros regimes políticos, como monarquia, oligarquia e anarquia. Esses regimes apresentam embutidos o termo grego *arkhía*, que se refere à função suprema de governo. A *monarkhía* é o governo de um só (*monas*); a *oligarkhía* é o governo de alguns (*oligói*); e a *anarkhía*, que usa um prefixo negativo (*an*), indica que ninguém exerce a função de governo. De modo original, os atenienses estabeleceram uma *demokratía*, em que *krátos* ("força", "poder") não se refere à função de governar, mas ao princípio da soberania dos cidadãos. Enquanto *aristokratía* significa o poder dos melhores (*áristoi*), *demokratía* significa o poder do cidadão (*démos*). Na democracia, a função soberana não cabe a alguém ou a alguns, mas à lei; e a desobediência à legislação vigente é a anarquia.

"Democracia" é, contudo, apenas uma palavra. São os contextos históricos que irão valorá-la e significá-la como sistema de governo criado pela sociedade para gerir a si própria. Como disse o ex-primeiro-ministro britânico Winston Churchill, democracia "é a pior forma de governo, com exceção de todas as outras".[1]

Seres humanos estão sempre em conflito político e em disputas pelo poder, mas indubitavelmente o sistema democrático tem se tornado um caminho válido na construção de consensos e garantia de liberdades. A democracia tem virtudes e defeitos, como veremos a seguir, mas também é uma das grandes criações da humanidade.

A invenção da democracia

Para compreender a democracia é necessário retomar conceitos ligados à própria invenção da democracia na antiga Atenas, onde a atividade política era exercida à vista de todos na *ágora* (conjunto de edificações onde ocorriam reuniões). Em seus primórdios, a sociedade ateniense era organizada em torno das famílias (*génos*) de proprietários fundiários e de guerreiros, que incluíam a casa (*oîko*), constituída por pai, mãe, filhos, escravos, bens móveis e imóveis; o parentesco de sangue (*ankhisteía*) e a irmandade religiosa (*phrátria*). Era, acima de tudo, uma unidade política. O poder era despótico, por ser exercido pelo chefe de cada família, o patriarca (*despótes*). A vontade do *despótes* era lei em caráter absoluto. Quando os *despótes* se uniam, formava-se uma oligarquia. Quando um *despótes* se impunha sobre outros *despótes* ele se tornava um tirano (*tyrannikós*).

Por volta de 510 a.C., Atenas passou pela reforma de Clístenes, após a derrubada da tirania de Pisístrato. Clístines reordenou a configuração política ao definir sua unidade básica, o *démos*, formado por um arranjo aritmético, geométrico e demográfico equilibrado dos antigos *géne*. A filósofa Marilena Chauí explica que "Clístenes criou as duas mais importantes instituições políticas de Atenas: a *Boulé* e a *Ekklesia*".[2]

A *Boulé* era o conselho que debatia e resolvia as questões cotidianas da cidade ou das relações entre cidadãos, formado por quinhentos conselheiros sorteados entre os cidadãos com mais de trinta anos para um mandato de um ano, sem reeleição. Já a *Ekklesia* era a assembleia aberta a todos os homens atenienses com mais de dezoito anos, sendo o organismo soberano da cidade, focado em votações sobre todas as questões principais de paz e guerra, e na eleição dos funcionários mais importantes. Era convocada regularmente, com poder superior ao da *Boulé*. Chauí afirma:

> A *Ekklesia* era a Assembleia Geral de todos os cidadãos atenienses, na qual eram escolhidos por votos os magistrados, discutidos e decididos publicamente os grandes assuntos da cidade, sobretudo os concernentes à guerra e à paz. Para assinalar o caráter igualitário da vida política, Clístenes fez construir um espaço circular — num local chamado *Pnyx* — no qual se reuniam a *Boulé* e a *Ekklesia*. [...] dependendo da gravidade do assunto, a *Ekklesia* poderia ficar reunida por várias semanas [...] O Conselho dos Quinhentos e a Assembleia Geral suplantaram em importância a mais antiga instituição política de Atenas, o Areópago (de *áreios pagos*, "rochedo de Ares"), tribunal e conselho responsável pelo código de leis de Atenas e cuja criação, segundo a tradição, teria sido recomendada aos atenienses por Atenas, patrona da cidade.[3]

Percebo, inclusive, um aspecto simbólico que explicita o factual: a transferência do centro de poder do *Areópago* para a *Ekklesia*. Ares é o deus da guerra selvagem dos gregos, caracterizado pela sede de sangue, considerado a própria matança personificada — o mesmo deus identificado pelos romanos como Marte. Com a invenção da democracia, a política grega sai do domínio da guerra constante entre déspotas e tiranos, e passa ao debate entre cidadãos organizados em uma assembleia. É a saída da irracionalidade da imposição para a racionalidade do argumento, da competição fratricida para a cooperação fraterna. As pessoas passaram a decidir juntas, de forma pública e conforme as regras estabelecidas.

De acordo com Norberto Bobbio, o processo de tomada de decisão política passou a ser público na *Ekklesia*: "isto é, da reunião de todos os cidadãos num lugar público com o objetivo de apresentar e ouvir propostas, denunciar abusos ou pronunciar acusações, e de decidir, erguendo as mãos ou com cacos de terracota, após terem apreciado os argumentos pró e contra apresentados pelos oradores".[4]

Quando o povo se reunia, o arauto amaldiçoava quem quer que procurasse enganar o povo, para que os demagogos não abusassem de suas artes oratórias. Assim, desde a democracia grega, a atividade política já é equiparada a um espetáculo público, um teatro. Platão chegou a se referir em uma passagem de *Leis* à "teatrocracia", que seria a pretensão do vulgo de poder falar sobre tudo e de não reconhecer mais nenhuma lei.

A cidadania universal cristã

A experiência ateniense moldou o léxico e a lógica central do jogo democrático. Os atenienses estabeleceram o princípio da *isonomía* (igualdade de todos os cidadãos perante a lei) e da *isegoría* (direito de todo cidadão falar em público, direito de fala igual). Não é por acaso que o local onde os políticos deliberam hoje em dia é chamado de *parlamento* (que remonta ao latim "falar", "lugar de falar"). A democracia grega estabeleceu a possibilidade do debate político à vista de todos os cidadãos, com a participação deles. Vale pontuar que o conceito de cidadania grega era restrito aos homens, sendo negada a participação às mulheres, às crianças, aos estrangeiros e aos escravos. De todo modo, o sistema democrático da Atenas clássica é um marco da nossa civilização.

A compreensão de cidadania universal só surgiria com a mensagem cristã. O teólogo Rainerson Israel afirma: "O movimento cristão se opôs virulentamente ao nacionalismo exclusivista e propôs a universalidade do Reino. Os evangelhos, as cartas paulinas, as cartas joaninas, as cartas pastorais revelam a universalidade do amor de Deus".[5] O psicanalista paulistano Christian Dunker afirma que o apóstolo Paulo "criou" a cidadania universal, ao interpretar que a chegada do cristianismo significaria a suspensão da antiga lei, que dividia as pessoas entre gregos e judeus, entre mulheres e homens, entre escravos e livres (Cl 3.11). "Nessa nova ordem de vida, não há mais diferença entre grego e judeu, circunciso e incircunciso, bárbaro e cita, escravo ou pessoa livre, mas, sim, Cristo é tudo e habita em todos vós".[6]

Vale notar que à época da *pax romana* e do início do movimento cristão, o grego era o idioma franco no Mediterrâneo oriental. O termo *Ekklesia* (a antiga assembleia geral da democracia de Atenas) passou a designar genericamente qualquer "assembleia" ou "convocação". Foi esse o termo aplicado às comunidades cristãs, conforme os textos do Novo Testamento: Jesus iniciou a sua *Ekklesia* (Igreja), por sua natureza um lugar alternativo ao poder político. Na Igreja primitiva, os cristãos compreendiam que tinham uma dupla dimensão comunitária: pertenciam à comunidade universal de todos os seres humanos criados por Deus e à comunidade dos salvos por Deus por intermédio de Jesus. Na comunidade universal estariam sujeitos aos poderes civis como qualquer outra pessoa, e na comunidade específica de cristãos estariam sujeitos uns aos outros.

A Igreja primitiva era uma comunidade aberta, isto é, seus integrantes se compreendiam como testemunhas (*mártys*) de um Deus que convidava todos à sua comunidade. De acordo com o exegeta polonês Jürgen Roloff, "até a época de Constantino, a vida cultual dos cristãos desenrolava-se, principalmente, em residências privadas, pois as comunidades cristãs não possuíam templos. A forma normal do culto eucarístico era a assembleia da comunidade doméstica".[7] Mas os cristãos também se reuniam e testemunhavam em locais públicos.

Em Atenas, o apóstolo Paulo falou em sinagogas para judeus e gentios, em praça aberta aos filósofos epicureus e estoicos e discursou no antigo Areópago, citando inclusive poemas de Epimênides e Arato.[8] A Igreja primitiva não impunha sua mensagem aos demais, mas a apresentava a todas as pessoas, com vivacidade e respeito. Mesmo em meio às perseguições imperiais, os cristãos eram instados a fazer orações democráticas por todas as pessoas, pelos governantes e por todas as autoridades públicas, visando ao bom convívio de todos. Paulo orienta as comunidades cristãs a fazerem "petições, orações, intercessões e ações de graça em favor de todos, em favor dos reis e de todos que exercem autoridade, para que tenhamos uma vida pacífica e tranquila, caracterizada por devoção e dignidade".[9]

Estados Unidos e a democracia moderna

No fim do século 18, após a guerra revolucionária, os Estados Unidos declararam sua independência da Inglaterra e se estabeleceram como uma nação constitucional democrática. Ocorre que o modelo democrático foi alterado: os antigos atuaram em uma democracia direta, enquanto os americanos modernos desenvolveram uma democracia representativa. De acordo com os federalistas americanos, esse seria o único governo popular possível em um grande Estado.

As treze colônias unidas desenvolveram-se cada vez mais. Ao observar a vida das pessoas e estudar o sistema de governo americano, o pensador político francês Alexis de Tocqueville escreveu o clássico *A democracia na América*. Nessa obra, Tocqueville observa as virtudes, mas percebe no horizonte uma dificuldade: o risco de emergir a tirania da maioria.

A democracia representativa, num cenário de maior amplitude social, estaria vulnerável à articulação majoritária legislativa contra o indivíduo. Tocqueville, antes um liberal que um democrata, percebeu isso. Os Estados democráticos, seguindo a regra da maioria, têm uma lógica que privilegia o interesse coletivo, aquilo que mais agrada a coletividade como um todo, em detrimento do interesse do cidadão considerado individualmente. Bobbio afirma:

> Tocqueville teve aguda compreensão da inconciliabilidade em última instância do ideal liberal — para o qual o que conta é a independência da pessoa na sua esfera moral e sentimental — com o ideal igualitário, que deseja uma sociedade composta tanto

quanto possível por indivíduos semelhantes nas aspirações, nos gostos, nas necessidades e nas condições.[10]

As propostas de Tocqueville foram as clássicas ideias da filosofia política liberal: liberdade de imprensa, de associação, de expressão e, em geral, a defesa das liberdades individuais de cada um diante do poder do Estado. A tensão entre liberdade do indivíduo e o interesse coletivo é um dos grandes desafios das sociedades democráticas.

A persistência das oligarquias

Conforme o filósofo Norberto Bobbio afirma em *O futuro da democracia*, as estruturas democráticas contemporâneas não foram capazes de cumprir a promessa de afastar o poder das oligarquias. Este é um tema muito examinado e pouco controverso desde o desenvolvimento das teorias das elites, a partir do final do século 19, com os estudos (chamados de "estudos elitistas", "realismo elitista") de Gaetano Mosca, Vilfredo Pareto, Robert Michels, Joseph Schumpeter e Robert Dahl.

Bobbio afirmou que "o princípio inspirador do pensamento democrático sempre foi a liberdade entendida como autonomia, isto é, como capacidade de dar leis a si própria [...] portanto, a eliminação da tradicional distinção entre governados e governantes sobre a qual fundou-se todo o pensamento político".[11] Contudo, verifica-se a persistência das oligarquias no comando do núcleo do poder, sobretudo se partirmos de uma compreensão procedimental da democracia, isto é, a democracia como forma de governo oposta à autocracia, à arbitrariedade, à ditadura — caracterizada por regras pautadas em princípios como liberdade, participação política e soberania popular. Assim, Bobbio afirma:

> A democracia representativa, que é a única forma de democracia existente e em funcionamento, é já por si mesma uma renúncia ao princípio da liberdade como autonomia [...]. Joseph Schumpeter acertou em cheio quando sustentou que a característica de um governo democrático não é a ausência de elites, mas a presença de muitas elites em concorrência entre si para a conquista do voto popular.[12]

O cientista político americano Robert Dahl propôs dois critérios que ajudam a avaliar os níveis de democratização da política: a competição pública e o acesso ao voto e aos cargos públicos. As sociedades poderiam ser menos ou mais inclusivas, com maior ou menor contestação pública. O espectro do jogo de poder se daria entre *oligarquias competitivas* (sociedades com muita contestação pública, mas pouca possibilidade de participação), *hegemonias inclusivas* (sociedades com muita inclusão na participação, mas pouca possibilidade de contestação) e *poliarquias* (sociedades com muita possibilidade de participação e contestação). Dahl propôs que as poliarquias seriam o modelo ideal, identificando-as como as experiências de Estado de bem-estar social do século 20. A politicóloga Cristiana Buarque de Hollanda sintetiza:

> O corolário desse cenário plural, enfim, é a maior responsividade dos políticos às preferências dos eleitores e à garantia das liberdades políticas, conforme o modelo original da democracia. Poliarquias tendem a resguardar direitos civis e individuais e a rejeitar o uso injustificado da violência. Embora possam assumir

formas diversas, quanto mais próximas do ideal democrático, mais distantes do terror despótico. Na sua forma contemporânea, a democracia acolheu boas doses do realismo elitista e firmou-se como objeto de consenso político. Dificilmente a política é pensada hoje sem as marcas formais da democracia. O entendimento usual a respeito desse regime de governo instituiu o possível no lugar do desejável. A democracia foi ressignificada como competição entre elites.[13]

Democracia x criptogoverno

Outro desafio às democracias é a manutenção da visibilidade dos atos de governo. Norberto Bobbio chama a atenção para o fato de que "poder público" tem duas conotações: significa ao mesmo tempo "poder do público" e "poder em público".[14] O termo "público" tem dois significados diversos: refere-se à "coisa pública", isto é, à república, ao Estado, ao comum a todos; mas também àquilo que é "visível", "evidente", "manifesto", "feito abertamente". A democracia é o regime de poder visível, verificável, conferível das deliberações. Na democracia, o caráter público é a regra, e o segredo é a exceção.

Os regimes autoritários invertem a situação até totalizarem um estado de exceção a todo corpo legislativo e social. Ocorre que nas democracias atuais o conjunto de leis visa a reprimir a arbitrariedade. O Direito está munido de princípios institucionais, como o devido processo legal. Nesse contexto, os governantes de má-fé passam a ter duas caras: existe aquilo que o governo diz à luz do dia e existem as falcatruas na calada da noite. Passa a existir o que Bobbio chama de "Estado dual" ou "criptogoverno". Ele escreveu: "Chamo de 'criptogoverno' o conjunto das ações realizadas por forças políticas subversivas que agem na sombra. [...] o terrorismo é um caso exemplar de poder oculto que atravessa toda a história. Um dos pais do terrorismo moderno, Bakunin, proclamava a necessidade de uma 'ditadura invisível'".[15] Entre 2015 e 2017, as operações da Polícia Federal e investigações do Ministério Público Federal escancararam em nosso país as obscuras redes de reciprocidade entre autoridades públicas de diferentes escalões, a totalidade dos partidos políticos de expressão e corporações privadas multibilionárias.

Democracia é o oposto de arbitrariedade, autoritarismo, imposição. Isso é verificado na vida comum: as pessoas autoritárias, despóticas, não gostam de prestar contas, apresentar explicações e justificativas ou de responder por seus atos. É a mesma lógica para quem está no poder. A democracia representativa permanece saudável com o acompanhamento e fiscalização acima de tudo do próprio povo.

Guerra e paz

Nos dias 18 e 19 de agosto de 1942, a pequena distância do litoral de Sergipe, foram torpedeados e afundados por submarinos nazistas os navios mercantes brasileiros Araraquara, Aníbal, Benévolo, Baependi, Itagira e Arara. Mais de seiscentos brasileiros morreram, inclusive crianças. Nosso país, que permanecia neutro no conflito mundial, mudou de postura: esses atentados à nossa soberania avolumaram a onda de indignação popular e levaram o Governo a declarar guerra à Alemanha e à Itália, em 22 de agosto de 1942.[16]

Os militares brasileiros integrantes da Força Expedicionária Brasileira (FEB) logo perceberam a dura contradição de estar lutando na Europa contra as ditaduras totalitárias e pela prevalência das liberdades e dos valores democráticos enquanto o regime político do Brasil era semelhante ao dos inimigos.[17] O Brasil cumpriu com êxito seu papel na tomada de Monte Castelo, na Itália.[18] Após a vitória final sobre o eixo fascista, com a capitulação de Berlim, o comandante da FEB general Mascarenhas de Moraes enviou o seguinte telegrama ao presidente Getúlio Vargas:

> Ao Presidente da República Dr. Getúlio Vargas — Palácio do Catete, Rio, Brasil, em 5-5-1945. Com o encerramento dia dois corrente Campanha do Teatro Operações da Itália com fulminante e integral vitória Armas Aliadas em cujo âmbito forças brasileiras tiveram desempenho à altura da confiança que lhe foi outorgada pela Nação sinto-me orgulhoso tê-las comandado em tão transcendentes circunstâncias Cumprida nossa árdua missão estamos liberados para regressar Pátria com consciência tranquila por tê-la bem servido atraindo para seu nome glorioso estima e respeito dos povos que amam liberdade Congratulo-me com vossência chefe Nação Brasileira por nos ter proporcionado o excepcional ensejo de revelar o mundo civilizado determinação dos nossos soldados em cumprir sagrados compromissos sua Pátria fim (a) Gen Mascarenhas de Moraes.[19]

O Brasil tornou-se um dos membros-fundadores da Organização das Nações Unidas (ONU), um dos símbolos da reconfiguração jurídico-política da sociedade internacional após a Segunda Guerra Mundial. Pela tradição, nosso país é o primeiro a falar quando ocorre a Assembleia Geral, a *Ekklesia* das nações. O presidente dos Estados Unidos na época da Guerra, Franklin Delano Roosevelt, propôs o nome do Brasil como membro permanente do Conselho de Segurança. Nosso país foi o único cogitado para uma possível sexta cadeira, mas a iniciativa não foi bem vista pelo então líder soviético, Joseph Stalin, que considerava o Brasil "um cliente dos Estados Unidos".[20] Os propósitos da ONU são a manutenção da paz e da segurança internacionais, o desenvolvimento de relações amistosas entre os Estados com base na isonomia e na autodeterminação dos povos, a cooperação internacional e a coordenação de ações comuns.

Nesse contexto do pós-guerra e da criação da ONU, estabeleceu-se o Estado democrático de direito como o paradigma constitucional. É não apenas um Estado de direito, regido pelas leis e garantidor dos direitos liberais e políticos (direitos de primeira dimensão), e também não é apenas um Estado social, que visa a garantir a efetividade dos direitos sociais para todos (direitos de segunda dimensão). A história mostrou que as duas construções jurídicas não foram capazes de impedir a força do totalitarismo, que culminou no fascismo, no nazismo e em regimes comunistas como o stalinista e o maoísta.

O Estado democrático de direito incorpora todos os avanços do Estado de direito e do Estado social, e ainda acrescenta as garantias dos direitos difusos, como os direitos ecológicos (direitos de terceira dimensão) e, sobretudo, os direitos humanos, com o alicerce da dignidade da pessoa.

Cultura democrática: tolerância e criatividade

Equacionar liberdade e coexistência nas democracias contemporâneas é tarefa árdua. O regime democrático por si só não apresenta respostas e os direitos institucionalizados são igualmente insuficientes na estabilização da sociedade. Apesar das conquistas jurídicas, o Estado Democrático de

Direito obviamente apresenta vulnerabilidades. Elas precisam ser compreendidas para que possamos contribuir com a sociedade brasileira e não atrapalhá-la ainda mais. Cada integrante da sociedade tem de aprender a assumir responsabilidades e direitos. É necessário cultivarmos uma *cultura democrática*.

Para cultivarmos a democracia, precisamos parar de querer exercer controle sobre a consciência dos outros. A tolerância nasce da constatação de que as pessoas são diferentes e de que há áreas da vida em que existem opiniões conflitantes. Que todos somos diferentes é elementar: apesar de pertencermos ao mesmo gênero humano, cada um de nós tem uma impressão digital, uma voz e uma história únicas. Por que, então, cada um não vive feliz e segue o seu caminho? Uma das respostas são os conflitos de interesses. As pessoas pensam e agem de modo diverso e há momentos em que os pensamentos e as ações colidem. Para agravar a questão, constatamos que não bastam portas, são necessárias trancas: há pessoas que não concordam com outras, mas mantém a discordância apenas interiormente, sem exteriorizar suas opiniões. Outras argumentam pacificamente. Outras polemizam de modo impositivo. Outras agridem. Outras matam.

Não faz sentido negar que existem diferenças e conflitos e que o ser humano é capaz de agredir seu semelhante. Negar o factual é sair do campo de discussão racional e cair na irracionalidade, no absurdo, na ficção. As superssimplificações da realidade são próprias às crianças, pertencem à esfera do lúdico, da brincadeira. A recusa em encarar embates racionais é a entrega à superstição. O pluralismo de visões de vida é um *factum* social.

É certo que vivemos em um mundo multicivilizacional e multipolar. Para uma cultura democrática, é necessário ter em vista a *razoabilidade*. Razão é um termo relacionado ao cálculo. Para falar de tolerância, é preciso aprender a calcular: somar, multiplicar, dividir, subtrair. A razão pesa prós e contras antes de tomar decisões. O antigo provérbio bíblico diz: "O ingênuo acredita em tudo que ouve; o prudente examina seus passos com cuidado" (Pv 14.15). A razoabilidade leva o ser humano a averiguar o passado, discernir o entorno, imaginar as possibilidades de futuro, prever os contratempos e recriar possibilidades.

O historiador americano Timothy Snyder apresenta no texto *Sobre a tirania: Vinte lições do século 20 para o presente* a análise do estudioso do totalitarismo Victor Klemperer, um judeu alemão, acerca da morte da verdade em uma comunidade política. A verdade morre de quatro modos:

a) O primeiro modo é a hostilidade aberta à realidade verificável, com a apresentação de invenções e mentiras como se fossem fatos. Snyder afirma que, durante a campanha presidencial de certo país, ocorrida em 2016, uma pesquisa sobre os pronunciamentos do candidato vitorioso detectou que 78% de suas declarações factuais eram falsas. Ignorar o mundo real dá início à criação de um antimundo ficcional.

b) O segundo modo é baseado na "repetição interminável", destinada a tornar o ficcional plausível e a conduta criminosa, desejável. Ataques com rótulos constantes transformam indivíduos em estereótipos.

c) O terceiro modo é a adoção aberta da contradição, que leva a um ambiente de irracionalidade. Klemperer ouviu de um aluno o apelo para "confiar em seus sentimentos, e sempre se concentrar na grandeza do Führer, e não no incômodo que está sentindo no momento".

108 BRASIL POLIFÔNICO

d) O quarto modo é a exploração indevida da fé, que envolve a divinização do líder político. Os fascistas desprezavam as pequenas verdades da experiência cotidiana, amavam as palavras de ordem que ressoavam como uma nova religião e preferiam mitos à história. Snyder afirma que "a pós-verdade é o pré-fascismo".[21]

Cultivar a democracia também é criar, tomar decisões e agir, o que significa assumir riscos. As pessoas não gostam de encarar a realidade; elas preferem criar os próprios universos paralelos, negar aquilo que é desagradável, virar as costas para o que é indigesto. As pessoas são preguiçosas, e a preguiça se reflete também no pensar, refletir e propor alternativas. O ser humano, em geral, prefere anestesiar o cérebro com maratonas intermináveis de séries televisivas, pois é mais fácil fugir para o entretenimento que perseguir objetivos reais. É sempre mais cômodo reclamar, culpar os outros, transferir as responsabilidades, terceirizar decisões e exigir privilégios que assumir responsabilidades. Contudo, não decidir já é uma decisão: é optar pela covardia.

Christian Dunker observa que as atrocidades nazistas não foram causadas pelo repentino nascimento de milhões de alemães acometidos subitamente pela psicopatia. Citando estudos do autor americano e ex-professor associado de ciência política e estudos sociais na Universidade Harvard Daniel Goldhagen (*Os carrascos voluntários de Hitler*), da filósofa alemã Hannah Arendt (*Eichmann em Jerusalém*) e da jornalista judia alemã Charlotte Beradt (*Sonhos no Terceiro Reich*), Dunker afirma que os carrascos voluntários que trabalharam nos campos de concentração de Auschwitz e Treblinka eram, em geral, banais funcionários de Estado, interessados em valores como conformidade, adequação e obediência: "[...] pessoas que se sentiam irrelevantes, mas que podiam substituir essa irrelevância por um grandioso projeto coletivo se obedecessem ao discurso correto. Ou seja, eles não sofriam de patologias diferentes de todos nós, mas foram 'mobilizados' por um discurso".[22]

Fato é que uma olhadela na história das civilizações mostra que o poder de persuasão dos discursos políticos ou religiosos é inquestionável. A história tende a se repetir, caso não a conheçamos ou finjamos que nada está acontecendo. É necessário trazer racionalidade aos debates públicos, criando uma contracultura democrática em meio ao fluxo de fanatismo.

Exigir tolerância ativa e plenamente amorosa das pessoas seria demais. No entanto, é o horizonte ideal, um sonho inspirador cantado em *Imagine* por John Lennon e bradado pelo reverendo Martin Luther King. Como o apóstolo Paulo escreveu: "No que depender de vocês, vivam em paz com todos" (Rm 12.18). Se é assim, de qual tipo de tolerância mais precisamos hoje? Creio que seja uma *tolerância republicana*.

A tolerância republicana é aquela dimensão da tolerância na *res publica*, "coisa pública", em que os cidadãos cooperam visando ao bem de todos. É o viés político da tolerância, que considera aquilo que será melhor para o todo antes daquilo que será melhor para a parte. É a tolerância que sabe priorizar o conjunto e criar um ambiente adequado para a resolução de conflitos. É a tolerância que estabiliza instituições, cria sincronias e apara arestas inúteis.

A tolerância republicana evita e combate as discussões desnecessárias que drenam a energia e a paciência da nação. Ela sabe comer peixes com espinhas, cortar cascas e extrair polpas.

Também é pedagógica, educativa e viabiliza uma cultura democrática nas gerações seguintes. Para alcançarmos o ideal da tolerância republicana, é necessário levar a sério nas discussões acerca do país os fatos, a razoabilidade, as responsabilidades e seus riscos.

Precisamos encarar as situações de frente, pois só assim os diálogos avançam, as teorias evoluem, as leis são aprimoradas, os intercâmbios comerciais se tornam mais justos, a tecnologia se desenvolve. Discussões políticas saudáveis assumem a real situação das coisas. Desse modo, as conversas param de girar em círculos cansados, e cansativos e abrem portas para novas possibilidades republicanas. "A religião de um homem é a superstição de outro" diz um antigo aforismo.[23] Já Fernando Pessoa escreveu: "Toda sinceridade é um ato de intolerância".[24] Não podemos ser hipersensíveis no debate político, precisamos ser mais razoáveis.

O início do século 21 é marcado pelo recrudescimento do fanatismo religioso, pelo aumento visível da xenofobia, do racismo e da polarização político-ideológica. A convivência pacífica de crenças antinômicas é uma necessidade imperiosa na sociedade contemporânea. São absolutamente temerários quaisquer disparates messiânico-políticos em um mundo com arsenais atômicos, redes terroristas, armas químicas, *drones* militares e artefatos que eventualmente exterminariam a humanidade e a vida no planeta. O padre e advogado francês Hubert Lepargneur afirmou: "A coexistência pacífica não resulta da convergência das convicções, mas de um modo vivenciado de mútuo respeito das competências, liberdades ou terrenos de expressão".[25]

Saíamos da matança de Ares, do Areópago. Precisamos nos reunir como *Ekklesia* tropical, vivenciando uma cultura democrática sem amnésia nem preguiça, mas com criatividade. Precisamos desse equilíbrio no Brasil de nossos dias. O equilíbrio é uma das virtudes da democracia como sistema teórico e pode ser uma das qualidades da sociedade brasileira.

Portanto, é preciso aprender a virar páginas. O pensamento democrata não rasga os capítulos precedentes, mas continua escrevendo a história. A história se escreve para frente, para adiante, para nossos filhos e filhas. Não sabemos como será o capítulo seguinte. Mas, enquanto estivermos aqui, façamos deste breve capítulo que é a nossa existência algo bonito e feliz. A democracia permite criar um capítulo equilibrado e pensado na nossa história, pois ela ensina a conviver, e conviver é perdoar. Perdoar, por sua vez, é criar um novo caminho.

Todo cidadão brasileiro pode e deve ser um cocriador da realidade nacional. O exercício da cidadania e o desenvolvimento de uma cultura democrática na contemporaneidade têm ampla influência dos Estados Unidos, nação com marcante presença protestante. A democracia americana emergiu no século 20 como referência inconteste para os sistemas de poder. Entre os pilares dos EUA estão outros dois conceitos essenciais na política moderna: a laicidade estatal e a liberdade religiosa.

5

LIBERDADE RELIGIOSA E LAICIDADE: LUZES DA HISTÓRIA PARA O BRASIL

Laicidade é um conceito vital para as democracias contemporâneas, pois é a base filosófica garantidora da liberdade religiosa e da coexistência entre múltiplos pontos de vista em uma sociedade complexa e plural. É um tema que carece de reflexão urgente e ponderada neste momento de embate entre as estruturas de poder no Brasil e os evangélicos.

A dessacralização do Estado e da moderna arena pública é uma construção histórica ancorada em conceitos da tradição judaica, como a transcendência divina; da tradição grega, como a atitude filosófica; da tradição romana, como o sistema jurídico; e da tradição cristã, como a separação entre os foros temporal e espiritual.

Os povos antigos explicavam o mundo a partir de teogonias, isto é, narrativas que contavam como os deuses foram criados. Tudo era "divinizado" na natureza. As palavras usadas nessas culturas para se referir aos astros, por exemplo, eram nomes de divindades — e como tais os corpos celestes eram adorados.

114 Brasil polifônico

Na tradição judaica, porém, não há teogonias, mas uma cosmogonia. A criação é narrada a partir da ação de um Deus transcendente, que está além de toda realidade, mas decidiu se revelar aos judeus e estabelecer com eles uma aliança. Deus mesmo não tem causa, ele é a causa de tudo. Ele é um Deus eterno, não criado, autoexistente. A primeira linha do *Bereshit* (o livro bíblico de Gênesis) simplesmente afirma a ação de *Elohim*: "No princípio, Deus criou..." (*"Bereshit Bara Elohim"*). Elohim estabelece uma relação com o povo israelita a partir do patriarca Abraão, a fim de formar com ele uma grande nação. O Criador desenvolve com esse povo uma relação amorosa, revelando, inclusive, seu nome ("Eu Sou o que Sou"; ou *Yahavew*, Javé).

Inicia-se, então, uma grande narrativa, que começa no período patriarcal de Abraão, Isaque e Jacó, passa pela libertação do povo da escravidão no Egito (sob a liderança de Moisés), segue pelo reinado de Davi, pelo exílio na Babilônia e revela o anseio pela vinda do messias, que libertaria os israelitas dos jugos de dominação estrangeira para a restauração do reino de Israel. O jurista italiano Paolo Prodi afirmou:

> [...] introduz-se um ponto de grande novidade em relação à teopolítica do antigo Egito e dos outros reinos médio-orientais, nos quais a própria divindade se identificava com o poder. Pela primeira vez, em Israel, a justiça é subtraída ao poder e recolocada na esfera do sagrado: com a ideia do Pacto, da Aliança, que o envolve em primeira pessoa, Iahvé [Javé] torna-se diretamente o garante da justiça na esfera social e política.[1]

De acordo com Prodi, em outras culturas, como a egípcia, o faraó era a incorporação da justiça na esfera sociopolítica,

LIBERDADE RELIGIOSA E LAICIDADE: LUZES DA HISTÓRIA PARA O BRASIL   115

submetida à sua soberania. Mas, em Israel, foi diferente: a justiça foi subtraída à esfera política para ser transportada para a esfera teológica, em dependência direta de Deus: soberania e sagrado separam-se. Isso tornou possível a resistência diante dos abusos de poder e também a busca de um lugar terreno da justiça, diferente das próprias instâncias do poder. Segundo Prodi, "contrariamente ao que se costuma pensar, a afirmação da santidade e da transcendência de Deus não conduz a uma sacralização do direito, mas a uma dialética entre a ordem de Javé e a ordem natural do mundo: é a presença de Deus que dessacraliza as instituições".[2]

Enquanto nas demais culturas o Sol, a Lua, as estrelas, os mares e a terra eram adorados como entidades divinas, na narrativa judaica de Gênesis toda a natureza é descrita como criatura de Javé. Nenhum elemento natural pode postular uma homenagem religiosa.

Em contrapartida, segundo Prodi, "a ira e o amor de Deus encontram como expressão para a administração da justiça o espaço profético, a voz e a recepção dos profetas, aos quais a consciência individual tem acesso direto".[3] A assembleia de Israel era a *qâhâl*[4]*Yahweh,* isto é, a assembleia do povo salvo do Egito e confirmado, como povo santo, ao pé do monte Sinai (Dt 4.10). Esse encontro solene entre Javé e seu povo será designado com um termo quase técnico, a saber, "o dia da assembleia" (*iôm haqâhâl*; Dt 9.10; 18.16).

Encontramos essa assembleia solene em vários momentos importantes da história de Israel, como na dedicação do templo de Jerusalém. Cada vez que se reúne essa assembleia, o povo toma consciência de si mesmo e se mostra de fato como um povo. O teólogo reformado suíço J. J. von Allmen explica:

"A assembleia possui sempre os mesmos elementos: Deus toma a iniciativa e manifesta sua presença, a sua Palavra é decretada e o ato de selar o encontro entre Deus e o povo é realizado por meio de sacrifícios".[5]

O mundo, então, se divide em duas esferas: o sagrado e o profano, o puro e o impuro, o permitido e o proibido, ao longo de uma linha fronteiriça traçada pela Lei mosaica: a profecia e a espera pelo messias abrem esse círculo em direção ao futuro. Os judeus dessacralizaram os poderes políticos, mas mantiveram uma mentalidade de libertação e conquista política, que foi superada com o advento da fé cristã. Segundo o teólogo Jürgen Roloff, no judaísmo da época do início da fé cristã o conceito "reinado de Deus" estava naturalmente associado à ideia de Israel.

> Onde mais Deus haveria de assumir o domínio, senão no seu povo? É claro que, de modo geral, a instauração universal e global do reinado de Deus estava implícita nesse conceito, mas apenas como efeito e consequência do domínio de Deus sobre Israel. Somente quando Deus fosse Senhor sobre Israel também os demais povos veriam a sua glória e reconheceriam o seu poder (Zc 14.9). O efeito mais imediato do reinado de Deus sobre o mundo dos povos, no entanto, era visto no fato de Israel vir a ser libertado do jugo destes [...]. De Dêutero-Isaías até o apocalipsismo não há, nos escritos judaicos, menção do tema "reinado de Deus" em que este não esteja associado, como contraponto, à situação do Israel oprimido pelos povos.[6]

A cultura grega, por sua vez, realizou grandes avanços no tocante à autonomia da razão na especulação filosófica. A filosofia é uma das mais profundas revoluções intelectuais da

História. Tales de Mileto é, segundo a tradição, o primeiro físico grego, isto é, investigador das coisas da natureza a partir da própria natureza. Ele afirmava que a origem e essência de todas as coisas era a água. Aristóteles afirmou: "Tales [...] diz ser água [o princípio] (é por este motivo também que ele declarou que a terra está sobre água)".[7]

Além disso, os gregos centravam suas explicações no *lógos*, termo amplo que significava simultaneamente "discurso", "estudo", "projeto", "razão", "pensamento". A filósofa Marilena Chauí aponta os traços distintivos da nascente filosofia grega no século 6 a.C., que foram aprofundados nos séculos seguintes:

a) Tendência à racionalidade. A razão foi tomada como critério da verdade, acima das limitações da experiência imediata e da fantasia mítica. A razão, ou pensamento (*lógos*), vê o visível e compreende o invisível, que é seu princípio imutável e verdadeiro.

b) Busca de respostas concludentes. Posto um problema, sua solução é sempre submetida à discussão e à análise crítica, em vez de ser sumária e dogmaticamente aceita. O discurso (*lógos*) deve ser capaz de provar, demonstrar e garantir aquilo que é dito.

c) Acatamento das imposições de um pensamento organizado de acordo com certos princípios universais lógicos que precisam ser respeitados para que o pensamento (*lógos*) e o discurso (*lógos*) sejam aceitos como verdadeiros.

d) Ausência de explicações preestabelecidas e, portanto, exigência de investigação para responder aos problemas postos pela natureza.

e) Tendência à generalização, isto é, a oferecer explicações de alcance geral (e mesmo universal), percebendo, sob a variação e a multiplicidade das coisas e dos fatos singulares, normas ou leis gerais da realidade (*lógos*).[8]

A filosofia grega desenvolveu uma cosmologia, uma explicação do *kósmos* (a realidade total) a partir do *lógos*. O foco racional grego, contudo, ainda não separou a esfera política do domínio mítico-religioso. A arena pública de discussão democrática ainda comportava a estrutura religiosa nos sistemas jurídicos e políticos. A própria execução de Sócrates foi causada pelas acusações de "desvirtuar os jovens" com seus ensinos e por não crer nos deuses do Estado. Como o próprio Sócrates diz em seu discurso de defesa, o teor de suas acusações "é mais ou menos o seguinte: Sócrates é réu porque corrompe a juventude e descrê dos deuses do Estado, crendo em outras divindades novas".[9] A completa dessacralização da arena política será consumada somente na tradição cristã.

Os cristãos assumem o conceito grego de *lógos* e o identificam com o Cristo. A primeira linha do Evangelho de João é o Gênesis cristão: "No princípio, aquele que é a Palavra [*Lógos*] já existia. A Palavra estava com Deus, e a Palavra era Deus" (Jo 1.1). Isso permite aos cristãos o desenvolvimento de uma teologia, bem como de uma cosmologia. O historiador francês Jacques Le Goff afirma que as comunidades cristãs medievais "não se restringem a uma leitura pura e simples dos textos sagrados, mas partem para uma interpretação que é uma evolução".[10]

Além disso, apesar de linhas de continuidade, o movimento cristão será caracterizado por rupturas conceituais com o judaísmo. O pensamento cristão deixa de ser "messiânico" em termos políticos justamente porque tem uma redefinição da noção de "reino de Deus". A comunidade cristã passa a cumprir seus deveres cívicos como qualquer outro agrupamento, sem a pretensão de construir um Estado cristão. O cristão teria uma condição paradoxal, dupla, ambígua, pois estaria na tensão de ser simultaneamente um cidadão espiritual do "reino espiritual de Deus" e um cidadão terreno submetido às esferas do poder, embora compreendesse que o poder temporal não escapasse do controle soberano do Deus transcendente.

As contribuições das tradições judaica, grega e cristã moldam a cultura clássica, que seguirá seu próprio caminho no curso da Idade Média. À época da cristianização do Império Romano e do estabelecimento de um sacro-império com religião oficial, o sistema jurídico romano entra em amálgama com o direito canônico, formando uma macroestrutura de poder. Somente a partir dos séculos 15 e 16, com o Renascimento cultural, de índole humanista, e a Reforma Protestante, é que haverá uma revisita incisiva aos conceitos da cultura clássica, sob o mote *ad fontes* ("de volta às fontes"). Filósofos, artistas e pensadores protestantes retornaram aos textos fundantes da cultura Ocidental, com os filósofos gregos e os textos bíblicos originais.

Implicações jurídico-políticas da Reforma Protestante

A Reforma Protestante, que irrompeu na Europa em paralelo ao início da colonização brasileira pelos portugueses, exerceu um papel decisivo na construção dos conceitos jurídicos da liberdade religiosa. Como o Brasil é uma nação erguida com uma estrutura contrarreformada, há uma grande ignorância

120 Brasil polifônico

em âmbito vulgar e apenas uma incipiente pesquisa acadêmica acerca das implicações jurídico-políticas da Reforma. Esse vazio conceitual fica muito evidente em nosso debate político contemporâneo.

Os *Apontamentos para a história dos jesuítas no Brasil*, uma série de textos e documentos históricos que narram o desenvolvimento da Companhia de Jesus no país, reunidos pelo médico e historiador Antônio Henriques Leal em 1874, afirmam na introdução acerca das motivações jesuítas:

> A novidade da Ordem, o desregramento em que vivia o clero na própria Itália, e até mesmo dentro dos muros de Roma, a crise da reforma que abalava e ameaçava invadir e assenhorar o mundo com a eloquência audaz e fogosa de Lutero, Melanchton e de Calvino, foi tudo aproveitado pela diplomacia de Loiola.[11]

É bem certo que os jesuítas muito contribuíram e contribuem para nosso país, mas não é tão claro que o pensamento protestante tenha sido aqui desenvolvido. É um momento muito apropriado para a sociedade brasileira, tanto popular quanto acadêmica, buscar uma compreensão mais acurada do que tenha sido a Reforma e seus desdobramentos em questões institucionais, para que muito do obscurantismo desnecessário das atuais questões nacionais seja dissipado.

Em 31 de outubro de 1517, o monge agostiniano Martinho Lutero afixou 95 teses contra o comércio de indulgências na porta da igreja do castelo de Wittenberg, na Alemanha. Teve início um enorme movimento, que reconfiguraria as estruturas mundiais. Segundo Fábio Konder Comparato, dada sua agenda heterogênea, a Reforma Protestante contribuiu, de modo direto ou indireto, para a transformação da sociedade europeia, não só no campo religioso, como também nos terrenos político e econômico, ao produzir profundas alterações no ideário, nas instituições de organização social e na prática de vida.[12]

O jurista Antonio Carlos Wolkmer afirma que a Reforma protestante está na matriz de impulsos modernos como a gênese do capitalismo moderno, a formulação da mentalidade livre individualista, a valoração da consciência moral, a contribuição da filosofia dos direitos humanos "e, fundamentalmente, o impulso para a moderna concepção de jusnaturalismo".[13] Por sua vez, Marcelo Campos Galuppo ressalta:

> Há outra grande contribuição da Reforma para a constituição da Modernidade. Uma das lutas centrais da Reforma foi pela liberdade de consciência e de culto [...] O reconhecimento da liberdade religiosa significa o reconhecimento da existência de projetos de vida múltiplos na sociedade, que não pode mais pretender se ater a um único esquema de explicação religiosa do mundo. O pluralismo de concepções religiosas cristãs significa a existência de um pluralismo de projetos de vida emergentes na nova sociedade moderna.[14]

A Reforma Protestante teve início depois que Lutero vivenciou profunda crise espiritual, que o levou a questionar dogmas e práticas da Igreja Católica Apostólica Romana, sobretudo a venda de indulgências autorizada pelo papa Leão X. O historiador britânico Quentin Skinner destaca:

> A venda de indulgências era um escândalo que vinha de longe [...] devendo sua base teológica à bula Unigenitas, de 1343. Esse diploma dizia que os méritos que Cristo exibira ao sacrificar-se

122 BRASIL POLIFÔNICO

eram maiores do que o necessário para redimir toda a raça humana. Por isso, proclamava, a Igreja tinha o poder de conceder esses méritos adicionais vendendo indulgências (isto é, remissões de penitência) a quem confessasse haver pecado.[15]

O historiador modernista francês Lucien Febvre afirmou que o protesto de Lutero com suas 95 teses não foi um ato isolado, mas "dirigia contra a indulgência uma acusação essencial, uma acusação de fundo: a de conferir aos pecadores uma falsa segurança".[16] Skinner destaca:

> Para o reformador, a crença na eficácia das indulgências não passava da mais perversa entre as perversões de uma doutrina mais ampla que ele, na qualidade de teólogo, viera a considerar inteiramente falsa: a doutrina de que está em mãos da Igreja capacitar um pecador a alcançar a salvação, por meio de autoridade e sacramentos.[17]

Lutero percebeu, desde logo, a importância de contar com o apoio político dos nobres e soberanos dos diferentes principados existentes na Alemanha. Originalmente alheio a esse tipo de questão, o monge passou a desenvolver ideias sobre o direito e a escrever obras sobre questões políticas. De fato, o luteranismo interessou aos príncipes e soberanos territoriais, uma vez que, aderindo ao movimento reformista, ficariam livres da interferência, não apenas religiosa, mas também político-militar, do papa e do Kaiser em seus domínios. A doutrina luterana sustentou que na Igreja não existia nenhuma distinção hierárquica entre os fiéis, mas no reino temporal a desigualdade era necessária, sem a qual a ordem não poderia subsistir. Assim, as ideias luteranas estabeleceram uma aparente tensão.

Lutero advogava que a obediência à Lei de Deus não era um meio de alcançar a salvação. Desse modo, a teologia do reformador libertou o cristão dos vínculos do direito canônico e tornou-o senhor de si. Contudo, segundo Lutero, essa liberdade só funciona no "reino de Cristo", isto é, na esfera religiosa. É do ponto de vista da salvação que o cristão é totalmente livre em relação a qualquer lei, e a qualquer regra de direito.

Mas, além do reino de Cristo, existe o "reino terrestre", um reino dominado pelos maus. Essa é a noção geral da doutrina luterana dos dois reinos, exposta na obra *Sobre a autoridade secular* (1523). Nela, Lutero tratou do direito de forma marginal, reticente. O jurista francês Michel Villey afirma que essa profunda falta de interesse de Lutero pelo direito "já poderia ser indicativa das tendências da filosofia jurídica moderna: tampouco Hobbes, Locke, Hume ou Kant [...] situaram no direito seu centro de interesse principal".[18]

Villey afirma, ainda, a importância de ressaltar esse desinteresse pelo direito, uma vez que o luteranismo conseguiu impor sua visão de mundo à sua volta. O direito, no pensamento luterano, perderá seu prestígio anterior, uma vez que, na Idade Média, a Igreja Católica estava impregnada de estruturas jurídicas. "O direito, o verdadeiro direito, concebido à maneira dos romanos, era no catolicismo um dos principais focos da atenção e do respeito universais".[19] Mas Lutero isola a importância do direito, ao que Villey afirma: "Portanto, é esse o lugar dado ao direito na teologia de Lutero: não negação absoluta, mas desvalorização do direito, reduzido a um instrumento apenas da vida temporal".[20] O jurista alemão Gustav Radbruch afirma que, em Lutero, "o direito e o Estado têm

124 BRASIL POLIFÔNICO

uma mera significação transitória e são, em última instância, inessenciais".[21] Por sua vez, o jurista alemão Arthur Kaufmann afirmou:

> Em Lutero e nos seus seguidores espirituais, o direito secular perdeu o caráter sagrado que tinha na patrística e na escolástica. Agora é realmente direito secular. Lutero, com sua doutrina dos dois reinos, deixou o direito, incluindo o direito canônico, totalmente para as autoridades seculares. É certo que ele via a ordem jurídica secular como um regime temporário e discutível, no qual se devia viver como se nele não se vivesse; o regime verdadeiro é o do evangelho, o reino do amor. Mas, no fundo, com a entrega do direito às autoridades seculares, ao Estado, perdia-se qualquer possibilidade de criticar esse direito.[22]

Essa concepção luterana do direito estabelece linhas importantes do direito moderno. Sua finalidade é reduzida a um objetivo transitório e puramente instrumental: a repressão dos "pecadores", a fim de preservar um pouco de ordem neste mundo terrestre. Como o direito é repressivo, um de seus aspectos essenciais torna-se a sanção, a coerção. Em Lutero, o direito deixa de ser algo a ser buscado e descoberto, trata-se de fazer respeitar as leis, seja a legislação positiva divina contida nas Sagradas Escrituras, seja a legislação positiva dos príncipes. Nesse contexto, emerge o pensamento calvinista.

Não se pode avaliar o pensamento jurídico e político do reformador João Calvino sem considerar o contexto da *Reforma radical*. Segundo movimento influente da Reforma Protestante, a Reforma radical também ficou conhecida como Reforma anabatista, pois foi realizada por grupos que repudiaram o batismo infantil em favor do batismo de crentes. Essa ala da reforma é chamada de radical porque, diferentemente de Lutero e Zuínglio, que trabalharam em colaboração com as autoridades civis, os anabatistas defenderam a separação entre a Igreja e o Estado, e rejeitaram a coerção secular nas questões religiosas. Poucos radicais compartilhavam das noções luteranas sobre os dois reinos. O historiador Michael G. Baylor afirma: "Estado e sociedade não eram claramente separados no pensamento radical. A sociedade era vista em termos religiosos e políticos".[23] Em outra direção, o professor de ciência política da Universidade de Brasília (UnB) Luis Felipe Miguel nos diz que "os anabatistas se recusavam a obedecer às ordens do Estado e constituíam comunidades à parte, orientadas para a perfeita igualdade, para a comunidade de bens e para a ascese".[24]

Os radicais/anabatistas não possuíam pensamento homogêneo. Certo grupo preconizou uma orientação pacifista e se recusava a obedecer às ordens do Estado, quando contrárias à lei divina, mas adotava uma posição de não resistência. Outros, no entanto, eram a favor da destruição da ordem social — má — e ensaiavam a instauração imediata da sociedade perfeitamente cristã. Essa ala do anabatismo desempenhou papel crucial nas revoltas camponesas que eclodiram na Alemanha em meados de 1520. Luis Felipe Miguel afirma: "Os camponeses lutavam por uma série de direitos, a começar pelo fim da servidão. A rebelião irrompeu de maneira espontânea, mas logo um teólogo anabatista ocupou sua liderança: Thomas Müntzer (1489-1525)".[25] Para Müntzer, a Reforma não poderia se limitar a assuntos litúrgicos e dogmáticos, mas deveria iniciar a construção de uma nova sociedade, radicalmente distinta da que existia.

126　Brasil polifônico

Calvino temia essas tendências anárquicas entre os reformados. O professor, teólogo, historiador e pastor presbiteriano Alderi Souza de Matos afirma que "Calvino rejeitou o conceito anabatista de que a Igreja devia isolar-se da sociedade e da cultura. A relação entre a Igreja e o mundo inclui tanto tensão quanto interação".[26] Calvino foi inicialmente um estudante de Direito e seu interesse político iniciou com estudos humanistas. Por conseguinte, na conclusão de sua obra magna, *Institutas da Religião Cristã*, Calvino tratou sobre o governo civil: "A preocupação principal de Calvino foi transmitir os sólidos alicerces da doutrina evangélica da liberdade cristã".[27]

Em seus escritos tardios, Calvino sobrepôs à teoria luterana dos dois reinos sua própria teoria. O jurista canadense John Witte Jr. sistematizou o pensamento político-jurídico tardio de Calvino em três grupos: suas formulações sobre a lei moral, as leis positivas do Estado e as leis positivas da Igreja. Podemos destacar sua ênfase na noção de "consciência", que seria regida por uma "lei moral". Segundo Witte, Calvino utilizou ampla terminologia para se referir a essa lei: "a voz da natureza", "a lei gravada", "a lei da natureza", "o direito natural", "a mente interior", "a regra da equidade", "o senso natural", "o senso do julgamento divino", "o testemunho do coração" e "a voz interior", entre outros termos. Calvino geralmente utilizou essas expressões como sinônimos para descrever as normas criadas e comunicadas por Deus para o governo da humanidade com vistas ao reto ordenamento da vida individual e social.

O professor de Ética J. M. Vorster afirmou que essa lei é fundamental no entendimento de Calvino da autoridade civil.[28] Segundo o reformador, Deus utiliza essa lei moral para governar tanto o reino espiritual quanto o reino terreno. Calvino descreve a "lei moral" como descrevia a "lei espiritual" em suas formulações iniciais, isto é, a lei moral são comandos morais gravados por Deus na consciência de cada ser humano, sumarizadas nos Dez Mandamentos. Calvino afirma nas *Institutas* que tudo aquilo que deve ser aprendido do Decálogo "de algum modo nos é ditado por aquela lei interior, impressa e como que gravada [...] em todos os corações".[29] Ele escreveu ainda:

> Os gentios [...] mostram que a obra de Lei seja escrita em seus corações, dando testemunho disso a consciência, e acusando-se entre si em pensamentos ou perdoando-se ante o juízo e Deus [Rm 2.14]. Se os gentios têm naturalmente gravada na mente a justiça da Lei, não podemos dizer que sejam absolutamente cegos quanto ao modo como viverão [...] Que o reconhecimento da consciência seja suficiente para discernir entre o justo e o injusto, eliminando para os homens o pretexto da ignorância.[30]

O professor americano de Teologia Sistemática e Ética Cristã David VanDrunen afirmou: "Consciência é um claro e crucial conceito neste ponto para Calvino, porque ela é o meio pelo qual essa revelação natural da lei de Deus é conhecida".[31] De acordo com VanDrunen, muitos acadêmicos notaram que a íntima ligação entre consciência e lei natural é um dos fatores diferenciais do direito natural, em comparação com seus predecessores.

Calvino defende que uma longa lista de verdades morais pode ser conhecida por meio da consciência. Ele sustenta que o princípio básico dessa lei é a equidade, que, por sua vez, concerne ao amor e à justiça. Calvino invocou, então, a clássica doutrina protestante dos "usos da lei", já mencionada por ele mesmo em seus escritos iniciais. De acordo com Calvino, Deus faz três usos da lei moral no governo da humanidade.

Primeiro, Deus utiliza a lei moral teologicamente, a fim de condenar todas as pessoas com base na consciência e compeli-las a buscar a sua graça. Para Calvino, a lei moral alerta, informa, convence e condena todo homem por sua própria injustiça. Essa seria a pré-condição para que o pecador pudesse buscar a ajuda de Deus e para ter fé na graça de Deus. Calvino afirmou: "A Lei é como um espelho no qual contemplamos nossa impotência e, a partir daí, a iniquidade — e depois, a partir de ambas, a maldição".[32]

Segundo, Deus utiliza a lei moral civilmente, a fim de restringir a pecaminosidade dos não crentes, aqueles que não aceitaram sua graça. A consciência de cada ser humano possui noções elementares do certo e do errado, e o compele a obedecer aos deveres morais básicos, como: obediência às autoridades, respeito pelo próximo, continência sexual. De acordo com Calvino, dessa maneira Deus conduz o homem a adotar uma conduta de justiça civil. O reformador afirmou:

> Há um segundo ofício da Lei para aqueles que não alcançam nenhum cuidado do justo e do reto, a não ser quando coagidos, sejam reprimidos ao menos pelo pavor das penas enquanto ouvem maus presságios nas sanções dela. Ora, não são coagidos pelo fato de o interior da alma deles ser agitado ou disposto, mas porque, tal como um freio lançado, afastam as mãos das obras exteriores e coíbem sua depravação interior, a qual, de outro modo, haviam de espalhar petulantemente.[33]

Terceiro, Deus usa a lei moral pedagogicamente, a fim de ensinar aos crentes, aqueles que aceitaram a sua graça, o significado do desenvolvimento espiritual, a piedade. O historiador americano Robert Linder destaca:

> Em tempos modernos, a palavra *piedade* perdeu seu sentido histórico e *status*. Hoje é utilizada com conotação e sugestão de sentimentalismo religioso. Para Calvino [...] era uma palavra muito positiva e significava obediência louvável ou fé devota. [...] Calvino consistentemente insistiu que a genuína piedade evangélica era pré-requisito para se conhecer a Deus.[34]

A lei moral ensina não apenas a justiça civil, comum a todas as pessoas, mas a justiça espiritual aos que são cristãos. A lei moral não apenas age coercivamente contra a violência e o crime, mas também cultiva a virtude. Para Calvino, a lei moral é para os cristãos verdadeiros "um excelente instrumento pelo qual aprendem, melhor e mais certamente no dia a dia, qual é a vontade do Senhor, à qual aspiram, para que sejam confirmados em seu entendimento.[35]

O jurista John Witte Jr. defende que os escritos tardios de Calvino colaboraram na expansão das noções de liberdade religiosa: "Calvino antecipou um número de concepções modernas de separação, acomodação e cooperação entre igreja e Estado que mais tarde dominariam o constitucionalismo ocidental".[36] Apesar de dar continuidade à filosofia de pensadores medievais, Calvino insistiu numa forma mais democrática de política civil e eclesiástica e numa jurisdição mais limitada da igreja.

Em resumo, em nenhum momento Calvino afirma ser a democracia a melhor forma de governo possível. Contudo, tanto em seu sistema de governo eclesiástico como na proposta por um governo civil colegiado, verifica-se uma inclinação

130 BRASIL POLIFÔNICO

democrática. Armando Araújo Silvestre afirma: "No capítulo político das *Institutas*, ele [Calvino] introduziu uma explícita defesa da forma de governo aristocrática ou mista, circunspeta à Igreja. Assim, a melhor forma de governo civil deveria ser rigorosamente paralela à eclesiástica".[37] O jurista Fábio Konder Comparato escreveu:

> Tal como Lutero, Calvino reafirma a doutrina de São Paulo sobre a origem divina de todo poder político, e reconhece que a monarquia é o regime mais recomendável. Esse regime é o que permite, para Calvino, ao povo viver em liberdade. Para tanto, Calvino preconiza a instituição de um governo coletivo, pelo qual se busca evitar, com a atuação de diversos conselhos, o abuso de poder. Pode-se, aliás, afirmar que, ao regular a forma de organização da Igreja Presbiteriana, o Reformador de Genebra preparou, de certo modo, a criação da democracia representativa moderna. Para ele, a igreja é uma comunidade ou corpo, do qual somente Cristo é a cabeça, sendo todos os membros iguais entre si. O ofício ministerial — e não se esqueça que ministro é palavra que vem do étimo latino *minus* — é atribuído, portanto, a todos os fiéis, e os cargos executivos distribuídos a vários deles, eleitos para tal pelo povo de Deus.[38]

O professor de Ética J. M. Vorster afirmou:

> J. H. Leith acreditou que o calvinismo conforme moldado no puritanismo inglês contribuiu para a política democrática. J. T. McNeil argumentou que as ideias políticas de Calvino influenciaram o jurista Hugo Grotius, amplamente reconhecido como o fundador do direito internacional moderno, bem como líderes-chave que promoveram o conceito de democracia: Boesky e Bethlen na Hungria, Cromwell na Inglaterra, Jon de Witt na

República Alemã, William Penn na Nova Inglaterra e Rabant e Guizot na França.[39]

Assim, para Vorster, com base em sua densa argumentação ético-teológica, "Calvino propôs dois princípios que revolucionaram os contextos políticos e eclesiásticos de seu tempo: a limitação da autoridade do governo e os direitos dos subordinados".[40] A conclusão do jurista espanhol Fernando Rey Martínez também afirma positivamente o papel crucial de Calvino para a configuração posterior do direito e da democracia: "Com estes antecedentes ideológicos, não estranha que os calvinistas ingleses e americanos (e todos os demais) tiveram um grande otimismo acerca das possibilidades transformadoras do direito".[41]

Martínez ressalta, ainda, que, entre os anos 1640 e 1660, os calvinistas editaram cerca de dez mil panfletos diferentes urgindo reformas jurídicas de todo tipo. Desse modo, conclui Witte: "no curso dos próximos dois séculos, calvinistas europeus e americanos desenvolveram os *insights* de Calvino numa robusta teoria constitucional de governo republicano, que deixou os pilares para o império da lei, os processos democráticos e a liberdade individual".[42]

Para Calvino, a estrutura dos governos políticos deveria ser autolimitada. Apesar de o reformador jamais sintetizar os variados elementos democráticos de sua teoria política, seus seguidores na França, na Holanda, na Inglaterra e na Nova Inglaterra os englobaram numa teoria política democrática. As noções contemporâneas de liberdade religiosa remontam à origem dos Estados Unidos, nação com palpável influência protestante desde sua origem.

Puritanismo e liberdade religiosa nos EUA

A fundação das colônias inglesas na América está diretamente associada ao calvinismo puritano. É certo que antes de os refugiados puritanos desembarcarem na América do Norte, outros já haviam transposto o Atlântico para lá se estabelecerem. O teólogo suíço André Biéler afirma que "para todos esses conquistadores, o objetivo principal de sua exploração era a descoberta de metais preciosos ou de especiarias e o comércio de peles".[43] Contudo, os colonos ingleses do século 17 foram diferentes, uma vez que migraram para a América por causa de suas opiniões religiosas e políticas.

Biéler explica que esses colonos se estabeleceram em territórios quase desérticos a fim de criar ali uma sociedade nova, fundada debaixo dos princípios que lhes eram caros. Esses primeiros colonos americanos ficaram conhecidos como "pais peregrinos". O historiador americano Edmund Morgan afirmou que "os valores, as ideias e as atitudes da ética puritana envolviam a noção de 'chamado'. Deus, segundo acreditavam os puritanos, chama cada homem para servi-lo por meio do serviço na sociedade, em uma ocupação produtiva e útil".[44]

Comentando essa noção do chamado, Fábio Konder Comparato afirmou: "as comunidades puritanas que desembarcaram na Virgínia e na baía de Massachusetts, na primeira metade do século 17, estavam convencidas de que formavam o povo eleito, ligado ao Senhor por uma aliança sagrada, como um Novo Israel, chamado a construir na América uma Nova Jerusalém".[45] Nas palavras de Biéler, "expulsas de sua pátria, essas minorias transportaram para seus países de refúgio forças espirituais e morais renovadas, que iam engendrar as novas sociedades modernas, democráticas e industriais".[46]

Já em 1607, anglicanos de tendência puritana haviam se instalado na Virgínia, sob a liderança de John Smith. Em seguida, muitos dissidentes ingleses, puritanos, fugindo da repressão provocada pelo absolutismo religioso e político do rei Jaime I, também aportaram na costa leste. Eles haviam se refugiado nos Países Baixos, provisoriamente, e embarcaram no navio *Mayflower*, em setembro de 1620, em direção à América. Em seguida, afirma o cientista político americano Sanford Kessler, "a grande migração puritana para a América ocorreu em 1630, quando as condições político-religiosas na Inglaterra estavam particularmente opressivas".[47] Assim, as colônias estabelecidas ficaram conhecidas como Nova Inglaterra e cresceram vertiginosamente no curso do século 17, com a criação de outras colônias, como Rhode Island, Connecticut, Maine e New Hampshire.

Segundo o teólogo irlandês Alister McGrath, o puritanismo pode ser definido como "uma versão da ortodoxia reformada que enfatizava de maneira especial os aspectos empírico e pastoral da fé".[48] Para os puritanos, a marca do verdadeiro cristianismo era a forma como as pessoas de fato vivem. O professor americano Leland Ryken afirma: "Este impulso prático permeou o pensamento puritano em muitas áreas. Ao pregar sermões, por exemplo, William Ames insistia que não era suficiente afirmar a verdade; o pregador deve também mostrar o uso, a bondade ou o fim das doutrinas cristãs".[49] Assim, a atenção que os puritanos davam à prática cristã emprestava grande força ética ao seu ensino.

A ética, a teologia e a prática de vida puritana eram decisivas na formação de cada aspecto das colônias. Como o jurista

134 Brasil polifônico

e economista alemão Max Weber argumentou no início de
A ética protestante e o "espírito" do capitalismo:

> A Reforma significou não tanto a eliminação da dominação ecle-
> siástica sobre a vida de modo geral quanto a substituição de sua
> forma vigente por outra. [Foi a substituição] de uma dominação
> extremamente cômoda, que na época mal se fazia sentir na prá-
> tica, quase só formal muitas vezes, por uma regulamentação le-
> vada a sério e infinitamente incômoda da conduta de vida como
> um todo, que penetrava todas as esferas da vida doméstica e pú-
> blica até os limites do concebível.[50]

Kessler explana que os rígidos aspectos da conduta de vida
puritana, como a castidade, o autocontrole e a harmonia familiar, tornaram-se o suporte popular para as leis, as instituições
e as práticas políticas da América do Norte.[51] A religião moldou a mente do povo americano, havendo um paralelo óbvio
entre o governo da cidade e o governo da igreja. "Na verdade,
nos primeiros dias da Colônia de Massachusetts, o governo da
igreja e da cidade era virtualmente indistinguível".[52] Morgan
destacou que "a ética puritana ajudou a dar forma à política
nacional, bem como ajudou a moldar a polícia e economias nacionais".[53] Além disso, é sabido que os puritanos estiveram
envolvidos na definição da igreja e do Governo civil, escrevendo exaustivamente sobre esses temas.[54]

Como afirma Rey Martínez, as escrituras reais (*royal charters*),[55] que inicialmente constituíram as colônias da Nova Inglaterra, nos anos 1620 e 1630, deram aos puritanos ampla
condição de desenvolver seu ideal teológico e político. Os colonos eram livres para propor e professar a própria crença religiosa, contudo, mantiveram as convicções básicas dos

LIBERDADE RELIGIOSA E LAICIDADE: LUZES DA HISTÓRIA PARA O BRASIL   135

calvinistas europeus. A *Bíblia de Genebra*, a Confissão de Fé de Westminster, os catecismos, os tratados teológicos de Calvino e William Perkins e os vários panfletos calvinistas alemães e ingleses tornaram-se "fontes importantes da teologia colonial da Nova Inglaterra", de acordo com Witte.[56] A filosofia na América foi originalmente inspirada pela fé religiosa. Os primeiros filósofos americanos foram os puritanos, que levaram consigo os ideais da boa sociedade e da boa vida da Europa para o novo mundo.[57]

Desta forma, no contexto de uma variedade de confissões, o calvinismo proporcionou o paradigma religioso mais importante. Sua hegemonia cultural é essencial para a compreensão das semelhanças entre as constituições dos estados e os documentos coloniais. O *Preâmbulo da Confederação da Nova Inglaterra*, por exemplo, escrito em 1643, afirma: "Considerando que viemos para estes territórios com um mesmo fim e alvo, a saber, a expansão do Reino de nosso Senhor Jesus Cristo e o regozijar das liberdades do evangelho em pureza e paz [...]". Assim, o caráter calvinista-puritano das instituições político-jurídicas dos Estados Unidos manifesta-se desde o período pré-revolucionário, já na fundação das colônias. Por isso, desde o início, o puritanismo fez muito para criar na América o tipo de comunidade capaz de manter a ordem dentro de suas fronteiras.[58]

O professor americano de Teoria Política Joshua Miller afirma que, embora os puritanos não fossem primariamente acadêmicos, toda sua teologia era profundamente política, e toda sua religião era permeada por conceitos políticos como poder, participação e autonomia.[59] O fato é que nascia na Nova Inglaterra uma sociedade absolutamente diferente em termos

136 Brasil polifônico

políticos e eclesiásticos. Os combates puritanos em favor da democracia no solo americano começaram na própria forma de organização das igrejas puritanas. Conceitos democráticos fundamentais, como autogoverno, autonomia, participação e soberania popular, foram estabelecidos nas instituições eclesiásticas das comunidades puritanas.

Os puritanos implementaram uma forma mista de governo, a fim de coibir o abuso de autoridade nas estruturas eclesiásticas. Era evidente a influência dos ministros nas reuniões das igrejas, mas de forma alguma era permitido o exercício unilateral da autoridade em uma igreja puritana. Os puritanos cuidadosamente balancearam o poder do clero com as liberdades dos irmãos. Em todas as igrejas de Massachusetts, por exemplo, as ações formais da congregação — eleição ou ordenação de oficiais, admissão, excomunhão, participação em concílios e toda transmissão oficial de correspondência — requeriam necessariamente o consentimento dos leigos.[60] Uma vez que a igreja estivesse estabelecida, os ministros continuavam a educar o povo nos detalhes do congregacionalismo, a fim de prepará-lo para seu papel de vigilante de Deus, isto é, de membros ativos na comunidade da fé, preparados para impedir qualquer modo de tirania eclesiástica.

Conforme demonstra a análise de Cooper Jr. sobre centenas de documentos eclesiásticos manuscritos das igrejas da Nova Inglaterra, o povo leigo exerceu ativa autoridade nas decisões e ações das igrejas puritanas. Tanto a cidade como a igreja eram consideradas pequenos corpos políticos. É notável o fato de que, para os puritanos, não havia distinção estrita entre os princípios da membresia na igreja e na cidade. Os membros de ambos os corpos políticos eram integrados geralmente por

LIBERDADE RELIGIOSA E LAICIDADE: LUZES DA HISTÓRIA PARA O BRASIL   137

meio de um pacto e tanto a cidade quanto a igreja reivindicavam o direito de excluir aqueles que não estivessem de acordo
com a membresia. Segundo Kessler, o puritanismo era uma
"religião democrata e republicana, porque os puritanos esco-
lhiam seus próprios líderes religiosos e suas igrejas eram inde-
pendentes e autogovernadas".[61]

O período colonial americano pode ser estudado em duas
etapas bem definidas: a primeira, desde o primeiro assentamen-
to, em 1607, fase em que foram implantados hábitos sólidos de
autogoverno; a segunda, a partir da criação do *Board of Trade*,
em 1696, com a missão de tornar as colônias rentáveis para a
Inglaterra, assegurando um saldo comercial favorável. Ao contrário de França, Espanha e Portugal, a Inglaterra intervinha
muito pouco nas suas colônias, amplamente autônomas com
relação à metrópole. Elas eram livres para se outorgarem constituições e se administrarem como quisessem.

A Inglaterra, no entanto, impôs às colônias um novo impos-
to, sem consultá-las. Os colonos americanos não admitiram
as decisões do Parlamento de Londres, onde não possuíam
um representante. A despeito dessas diferenças, um plano de
união foi submetido às treze colônias em 1754 por Benjamin
Franklin, que fora eleito membro da assembleia da Pensilvâ-
nia.[62] Mas o plano não foi aceito. Todavia, a ideia de autonomia
do conjunto das colônias americanas com relação à metrópole inglesa ganhou força. Após uma série de desavenças, teve
início, em 1775, a guerra da independência. Sob o comando
de George Washington, as colônias adotaram a *Declaração da
Independência*, de 4 de julho de 1776. Como afirma Morgan,
"enquanto lutavam na campanha patriótica, os americanos
também articulavam princípios políticos para a criação de

uma política livre em seu país".[63] Nasceram, então, os Estados Unidos da América, sobre sólidas bases democráticas.

Embora os americanos defendessem a laicidade desde sua fundação, a Constituição dos Estados Unidos foi elaborada por líderes políticos de inspiração deísta e protestante. O fechamento do texto, por exemplo, diz: "Dado em Convenção, com a aprovação unânime dos estados presentes, a 17 de setembro do ano de Nosso Senhor de 1787, e décimo-segundo da independência dos Estados Unidos. Em testemunho do que, assinamos abaixo os nossos nomes". O documento é assinado no "ano de Nosso Senhor".

A própria Constituição previa que seriam realizadas emendas, conhecidas como *Bill of Rights*. A Primeira Emenda esclareceu a postura laica dos EUA: "Emenda I: O Congresso não legislará no sentido de estabelecer uma religião, ou proibindo o livre exercício dos cultos; ou cerceando a liberdade de palavra, ou de imprensa, ou o direito do povo de se reunir pacificamente, e de dirigir ao Governo petições para a reparação de seus agravos". Daí depreenderam-se duas cláusulas: a primeira, *Establishment Clause*, separa as confissões religiosas do Estado, ou seja, o Congresso americano está impedido de legislar com o objetivo de estabelecer uma religião oficial nos Estados Unidos. Por sua vez, a segunda cláusula, *Free Exercise Clause*, garante o direito à liberdade religiosa, permitindo o livre exercício dos cultos. Este foi o marco histórico na positivação do princípio da liberdade religiosa.[64] A nova Constituição americana abriu caminho para uma remodelagem radical do panorama religioso nacional, eliminando as estruturas estabelecidas e criando estruturas sem paralelo até aquela época.

Verifica-se, contudo, nas sólidas tradições políticas americanas o surgimento de uma espécie de religião civil, que visaria a manter a unidade e a consciência nacional dos cidadãos. Heróis cívicos nacionais, como Abraham Lincoln e o pastor batista Martin Luther King Jr., por exemplo, ganham na cultura americana contornos de profetas cívicos, recebendo mais que admiração. Todos os 45 presidentes americanos se declararam cristãos, de George Washington a Donald Trump, sendo tradicionalmente empossados após o juramento com a mão sobre a Bíblia, com duas modalidades de preces: uma oração (*invocation*) e, depois, uma bênção (*benediction*). Símbolos como o Dia da Memória, o Dia de Ação de Graças, a antiga promessa de lealdade sob a bandeira ("Uma só nação sob Deus"), colocar a mão sobre uma Bíblia ao prestar juramento nos tribunais, ou prestar juramento ao próprio presidente no momento de posse, deveriam ser interpretados como a submissão das autoridades e de todos os cidadãos ao "deus civil", isto é, à própria soberania do povo americano.

Esses símbolos são objeto de constante crítica e disputa judicial por parte de grupos secularistas. De todo modo, a cultura jurídico-política americana se desenvolveu desde a independência, no fim do século 18, passando pela integralidade dos séculos 19 e 20, quando os Estados Unidos emergiram como superpotência global, com noções religiosas clarividentes nos espaços públicos, o que atesta uma arraigada concepção de liberdade religiosa e liberdade de pensamento naquela nação.

A história comprova que os pais fundadores dos Estados Unidos, com inspiração deísta e protestante, desenvolveram um sistema que permitiu um amplo regime de liberdade aos americanos e o desenvolvimento de sua sociedade em

140 Brasil polifônico

múltiplos setores, o que os levou a aprender a conviver com opiniões diferentes.

Democracia brasileira e liberdade religiosa

O Estado Democrático de Direito, como o Brasil, estabelece os limites do poder, deixa espaço para a cooperação das instituições religiosas com órgãos públicos na forma da lei, e vice-versa, e garante as liberdades religiosas sob o fundamento da laicidade.

A sedimentação dessa liberdade religiosa é muito clara na lei brasileira. Embora o Estado seja distinto das instituições religiosas, a Constituição prevê a cooperação entre as duas esferas pelo bem público. O Artigo 19º da Constituição Federal de 1988 veda que o Estado assuma uma religião para si ou atrapalhe alguma religião de se desenvolver no corpo social, proibindo a formação de "relações de dependência ou aliança" entre cultos religiosos ou igrejas. Contudo, deixa a ressalva de que "na forma da lei" é possível a "colaboração de interesse público". A liberdade religiosa abrange conceitos de liberdade de crença, de culto e de organização religiosa. O Artigo 5º da Constituição determina:

> Todos são iguais perante a lei, sem distinção de qualquer natureza, garantindo-se aos brasileiros e aos estrangeiros residentes no País a inviolabilidade do direito à vida, à liberdade, à igualdade, à segurança e à propriedade, nos termos seguintes: [...] VI — é inviolável a liberdade de consciência e de crença, sendo assegurado o livre exercício dos cultos religiosos e garantida, na forma da lei, a proteção aos locais de culto e a suas liturgias; VII — é assegurada, nos termos da lei, a prestação de assistência religiosa

nas entidades civis e militares de internação coletiva; VIII — ninguém será privado de direitos por motivo de crença religiosa ou de convicção filosófica ou política, salvo se as invocar para eximir-se de obrigação legal a todos imposta e recusar-se a cumprir prestação alternativa, fixada em lei.[65]

A laicidade do Estado não é nomeada explicitamente, mas está obviamente implícita no texto constitucional. Ela é a base filosófica do regime de liberdade religiosa. O Estado laico é aquele que se situa fora de toda obediência religiosa e deixa no setor privado as atividades confessionais.

A laicidade não deve ser confundida com o laicismo, que é a laicidade transformada em ideologia. O laicismo assume uma postura semelhante ao secularismo, ao ateísmo militante, de combate e perseguição às religiões. Definitivamente, o Estado democrático de direito brasileiro não é um estado laicista, pois a Constituição garante não só a liberdade religiosa, como prevê cooperação entre o aparato estatal e cultos e igrejas, na forma da lei. Conforme afirmam os juristas franceses Jean Rivero e Hugues Moutouh:

> O Estado laico é, pois, aquele que se situa fora de toda obediência religiosa e deixa no setor privado as atividades confessionais. Mas, uma vez que as religiões ficam então assuntos privados, o Estado laico não tem razão alguma para ignorá-las sistematicamente, enquanto se relaciona com todas as outras formas — culturais, sociais, econômica — da atividade privada. Muito mais, haveria nessa ignorância, uma discriminação unicamente contra as atividades religiosas, que iria contra a lógica do sistema: ignorando-as, o Estado faria para elas um estatuto à parte, diferente daquele que ela aplica a todas as atividades privada.[66]

142 Brasil polifônico

A liberdade religiosa é uma liberdade pública que também abrange, por exemplo, as liberdades de vida privada, locomoção, opinião, comunicação, ensino e reunião. Certas aplicações da liberdade são secundárias em comparação a outras. Além disso, a jurisprudência mostra que há setores nos quais a liberdade é contestada e ameaçada mais do que em outros, especialmente pelo poder. Nesse caso, surge a necessidade de uma proteção reforçada. É importante, ainda, frisar que todas as liberdades públicas se relacionam, se complementam e dialogam transversalmente, sendo que todas as suas modalidades decorrem de uma única liberdade global, que emana da dignidade da pessoa humana.

Uma implicação dessa questão é que, embora haja separação entre o Estado e as igrejas — bem como de todas as demais instituições religiosas —, verifica-se que não existe separação entre atividade política e pessoas religiosas. Nenhum cidadão pode ter seus direitos civis e políticos castrados pelo fato de ser religioso. Não importa se o cidadão é evangélico, católico, espírita, ateu, adepto do candomblé ou budista: ninguém pode ser discriminado em razão de crença religiosa e todos podem prestar concursos públicos e se candidatarem a cargos públicos, na forma da lei.

Vale destacar, ainda, que o lugar livre e sem impedimento algum para que igrejas evangélicas e católicas e demais credos religiosos expressem suas ideias, modos de interpretação do mundo e ações de transformação social é a própria sociedade civil. Os cidadãos evangélicos, espíritas, ateus ou de qualquer outra cosmovisão religiosa podem montar ONGs, agências de empreendedorismo social, projetos educativos, iniciativas humanitárias e tudo aquilo que julguem necessário e relevante

LIBERDADE RELIGIOSA E LAICIDADE: LUZES DA HISTÓRIA PARA O BRASIL   143

para a melhoria da sociedade brasileira e da humanidade como um todo.

Nem tudo passa pelo aparato estatal. As igrejas não dependem do Estado para que possam realizar sua vocação solidária e atender demandas pontuais, concretas, dos cidadãos brasileiros em diversos pontos de nosso vasto território. As igrejas são organizadas, voluntariamente, por pessoas que comungam da mesma fé. São comunidades profundas, repletas de interconexões, espalhadas por toda a tessitura urbana e rural brasileira. As igrejas já formam eficientes redes de solidariedade, perenes, permanentes, porque estão vinculadas à vida real das pessoas. E devem continuar nesse caminho, por razões constitucionais ou razões intrínsecas da teologia cristã. É necessário haver vigilância para que as igrejas cristãs não caiam na tentação do poder, da sanha pela autoridade, do afã pelo domínio temporal. Por isso, a necessidade de um diálogo público esclarecido é tão vital. Sem clareza conceitual e compreensão dos aparatos jurídicos, e com preconceitos arcaicos, o debate nacional fica seriamente comprometido. Laicidade estatal e liberdade religiosa formam a base necessária para diálogos racionais e produtivos. É oportuno clarear também as três noções em termos públicos: fé, razão e diálogo.

6

FÉ, RAZÃO E DIÁLOGO

A politização afeta todo tipo de debate e, por isso, precisamos estar alertas. Há pessoas que tentam desqualificar os outros com afirmações como "Isso é coisa de ateu sem ética!" ou "Isso é coisa de crente ignorante!". As pessoas podem não ter ética ou ser ignorantes, mas não se pode generalizar, ainda mais de um modo tão preconceituoso e, francamente, estúpido. As coisas não melhoram assim. Inúmeros ateus atuaram e atuam em causas humanitárias, como Betinho, sociólogo que liderou a Ação da Cidadania Contra a Fome, a Miséria e pela Vida. Por sua vez, inúmeros religiosos atuaram e atuam nas fronteiras da ciência, como Carlos Chagas Filho, que ocupou na ONU a presidência do Comitê Científico para Aplicação da Ciência e da Tecnologia ao Desenvolvimento, tendo recebido dezesseis títulos de *doutor honoris causa* de universidades nacionais e estrangeiras. Seu pai foi o ícone nacional Carlos Chagas, o único cientista na história da medicina a descrever completamente uma doença infecciosa: o

146 Brasil polifônico

patógeno, o vetor, os hospedeiros, as manifestações clínicas e a epidemiologia.

Com o esforço de religiosos e não religiosos, grandes universidades americanas foram estruturadas e, com isso, geraram o bem de toda a sociedade — e, literalmente, de toda humanidade. A Universidade Columbia, nos Estados Unidos, foi fundada a partir da iniciativa do então governador da província de Nova York, Lewis Morris, que escreveu à Sociedade para Propagação do Evangelho no Exterior (a secretaria de missões da igreja anglicana), incentivando o projeto. Em 1751, a assembleia de Nova York elegeu uma comissão de dez moradores da região, dos quais sete eram anglicanos, para comandar o projeto. A primeira sede da instituição foi em um prédio auxiliar da Igreja da Trindade. Seu lema é: "Graças à tua luz, vemos a luz" (*In lumine Tuo videbimus lumen*). Dali saíram 96 vencedores do prêmio Nobel.

A Universidade de Berkley traz em seu brasão uma Bíblia aberta e o lema "Haja luz!" (*Fiat lux*). Dali saíram 94 vencedores do prêmio Nobel. A Universidade de Chicago remonta à primeira universidade ali fundada, em 1856, por um pequeno grupo de membros da igreja batista. A instituição recebeu um aporte multimilionário do magnata John Rockfeller, que também era batista, e foi reorganizada pela junta educacional da Igreja Batista Americana. Dali saíram 92 vencedores do prêmio Nobel. A Universidade Harvard foi fundada em 1636 e recebeu o nome de seu primeiro benfeitor, o pastor John Harvard. Inicialmente uma faculdade para treinamento de pastores, Harvard é o centro acadêmico com maior número de prêmios Nobel: 130, até 2017. No brasão da Universidade de Princeton e no da Universidade Yale existem

Bíblias abertas, sendo que essa última recebeu seu nome em homenagem a um rico puritano, o filantropo Elihu Yale.

Ação social, trabalho humanitário, desenvolvimento científico e tecnológico interessam a todos os brasileiros e podem ser realizados por todos os brasileiros. Criar um conflito inútil entre pessoas religiosas e ciência, entre cientistas e fé, é um profundo ato de ingenuidade, desonestidade intelectual ou manipulação política.

Há muita discussão espetaculosa na mídia, muitos dados são exagerados, tornou-se um jargão comum a expressão "pirotecnia". Existem muitos espantalhos no meio da lavoura e muitas falácias encharcando revistas e jornais. Além de cobrarmos honestidade dos políticos, é necessário cobrarmos honestidade intelectual de nós mesmos. É preciso fazer um esforço na direção da luz, da lucidez, do que é equilibrado, razoável, plausível. Ao elaborar nossas convicções políticas, precisamos passar pelo crivo da razão.

Contribuições da teoria do conflito

A discussão e a polarização de ideias é vital para a saúde da democracia e da república, mas devem ser temperadas por consensos e visar ao bem comum. Diálogo é atividade política por excelência e modo de resolução de conflitos. Já conflito é o avesso da cooperação. Ao abordar questões relativas à teoria do conflito, a jurista Enia Cecilia Briquet afirma que o conflito existe quando uma das partes, indivíduo ou grupo, tenta alcançar seus próprios objetivos interligados com outra parte e essa outra parte interfere. Além da diferença de objetivos e interesses deve haver necessariamente uma interferência deliberada de uma das partes, indivíduo ou grupo, para que haja conflito.

148 Brasil polifônico

Segundo Briquet, "o conflito pode ser definido como uma interferência ativa ou passiva, porém deliberada, que visa a bloquear a tentativa da outra parte de atingir seus objetivos".[1] Conflitos não são ruins ou bons em si: o simples fato de avaliar os conflitos já comporta um juízo de valor. Conflitos são simplesmente fatos sociais. Mas é possível discernir que conflitos têm aspectos construtivos ou destrutivos para a coesão da sociedade, e podem literalmente gerar vida ou morte, dependendo de seu desdobramento. Entre os aspectos construtivos do conflito estão:

a) Despertamento de sentimentos e estímulo de energias. Essa energia estimula as partes a descobrir soluções inovadoras e, nas organizações, motiva indivíduos ou grupos a procurar outros meios criativos e eficazes de realizar tarefas.

b) O conflito fortalece sentimentos de identidade e, dessa forma, aumenta a coesão grupal.

c) O conflito desperta a atenção para problemas existentes, aponta para a contenção, serve de prevenção e atua como mecanismo de correção.

Entre os aspectos destrutivos estão:

a) O conflito desenvolve sentimentos de frustração, hostilidade e ansiedade, bloqueando esforços das partes que se opõem.

b) O conflito desvia energias para ele mesmo. Grande parte da energia criada por ele é consumida pelo próprio conflito; dessa forma, a energia das pessoas e dos grupos é gasta na tentativa de ganhar a disputa.

c) O conflito leva uma parte a dificultar a atividade da outra parte, prejudicando a cooperação. Com isso, o conflito se autoalimenta e danifica o relacionamento entre as partes conflitantes.

Briquet aponta, ainda, os tipos de reação mais comuns diante dos conflitos:

a) Contenda
b) Rendição
c) Retirada ou afastamento
d) Inação
e) Resolução de problemas

O comportamento dos conflitantes também pode mudar de acordo com os ciclos básicos do conflito:

a) Surgimento do conflito
b) Escalada do conflito (quando se iniciam as hostilidades com o adversário)
c) Polarização (quando toda a relação começa a se deteriorar e a comunicação acaba)
d) Ampliação e incitação (quando outros se juntam de um lado ou de outro e as possibilidades de uma retirada segura e honrada se tornam mais difíceis)
e) Desescalada e retirada (que acontecem quando as partes, com a ajuda de um mediador, tomam medidas destinadas a interromper a conduta rixenta e se envolvem em um processo de reduzir, resolver ou mesmo terminar o conflito).

150   Brasil polifônico

Essas contribuições da teoria dos conflitos lançam luz sobre impasses sociais. Penso que os termos específicos do conflito político são os mais peculiares, pois vinculam toda a sociedade e afetam a totalidade dos rumos da nação e o futuro de todos os cidadãos. Como a história das civilizações ensina, os conflitos políticos podem alcançar graus de incitação que descambam para guerras e tiranias.

O desfecho de conflitos políticos também não se resume à desescalada e à retirada, mas pode se tornar, por um lado, formação de consensos, garantia de direitos, construção de um projeto de país, inovação na solução de questões públicas, geração de renda e desenvolvimento econômico. Por outro lado, pode vir a ser capitulação, imposição, aumento do ressentimento, sedição, ruptura institucional, perda de liberdades ou desrespeito aos direitos adquiridos. A teoria dos conflitos, de todo modo, ilumina as possibilidades para o debate político. O conflito testa a balança do poder. É necessário equilíbrio racional para resolução de conflitos e uma boa política.

Fé

O Brasil é um país de muitas "fés". Há, evidentemente, agnósticos e ateus, mas esses convivem com uma maioria estatística religiosa: aqui habitam espíritas, budistas e adeptos do candomblé, entre outros credos. Contudo, a fé brasileira é, sobretudo, uma fé *cristã*. O Censo 2010 do IBGE verificou que os cristãos ultrapassam 87% da população brasileira.[2] Não é de estranhar que o cartão postal do país seja a estátua do Cristo Redentor, no Rio de Janeiro. Basta reparar as múltiplas nomenclaturas bíblicas nas cidades, a começar por São Paulo, maior centro financeiro do hemisfério Sul e décima cidade mais rica do mundo no início deste século, batizada com o nome do "apóstolo dos gentios". Mas a lista é longa e inclui Belém, Natal e Salvador. Na Cidade de Deus carioca encontramos quase a Bíblia inteira: rua Josué, rua Ezequias, travessa Tessalônica, praça Matusalém, avenida José de Arimateia.

A presença cristã é incontornável no Brasil. Nossos poetas, compositores, cineastas e demais artistas foram obrigados a dialogar com a fé do povo brasileiro, sendo eles cristãos ou não. A canção *Asa Branca* relata uma oração do típico nordestino:

Quando olhei a terra ardendo
Igual fogueira de São João
Eu perguntei a Deus do céu, ai
Por que tamanha judiação?

Seja no título de um romance, como *Esaú e Jacó*, de Machado de Assis, seja em uma simples linha de poema, como "manto de Jacó, escada de Jacó",[3] de Ana Cristina Cesar, as imagens bíblicas estão aí. Os azulejos de Portinari ornam a belíssima Igreja da Pampulha, desenhada por Oscar Niemeyer. O craque Neymar Jr. amarra na testa uma faixa com os dizeres *100% Jesus* na comemoração do ouro olímpico inédito. Não é necessário fazer esforço, basta olhar em qualquer direção no tempo--espaço brasileiro do século 16 ao início do 21: dos maiores monumentos às mais brandas alusões, haverá um ícone que remete à fé cristã. Como canta a "Aquarela do Brasil":

O Brasil, samba que dá
Bamboleio que faz gingar
O Brasil do meu amor
Terra de Nosso Senhor.

O Brasil nasce de intenso encontro (ou choque) de civilizações. Os nativos que aqui habitavam recebem a invasão de estrangeiros que chegam pelo mar. Ou, pelo outro ponto de vista, portugueses desbravadores "descobrem" e colonizam uma terra habitada por índios. Repare que, desde o início dessa trama, o repertório "cristão" é impresso por aqui. Começando por Pedro Álvares Cabral, que tinha o mesmo nome do discípulo de Jesus e que batizou o nome do primeiro morro avistado nestes solos por "Monte Pascal". O escrivão daquela expedição lusitana, Pero Vaz de Caminha, inicia seu relato sobre o "achamento" da terra ao rei de Portugal, em 1500, dizendo: "A partida de Belém, como Vossa Alteza sabe, foi segunda-feira, 9 de março...". Depois de narrar que a frota de Vasco de Ataíde havia se perdido, Caminha diz que prosseguiram a viagem e no dia 21 de abril avistaram uma terra "obra de 660 ou 670 léguas" de distância. No dia seguinte, "houvemos vista de terra! Primeiramente dum grande monte, mui alto e redondo; e doutras serras mais baixas ao sul dele; e de terra chã, com grandes arvoredos: ao monte alto o Capitão pôs nome — o Monte Pascal e à terra — a Terra Da Vera Cruz".[4]

O ancoradouro e local de desembarque dos portugueses é até hoje uma paisagem deslumbrante. Realizei em 2016 o casamento de amigos na Praia de Coroa Vermelha, entre Santa Cruz Cabrália e Porto Seguro, na esplendorosa Bahia. Sob o pôr do sol, todos ficamos abismados com a beleza daquela enseada. Dei beijos apaixonados em minha esposa, Natália. Compramos lembranças baianas para nossa filha, Maria. Naquele mesmo local, em 26 de abril de 1500, os sacerdotes portugueses ergueram uma cruz e realizaram uma missa.

Pero Vaz de Caminha menciona a cruz diversas vezes em sua *Carta ao El-Rei D. Manuel sobre o achamento do Brasil:* no domingo de Páscoa, o padre "pregou uma solene e proveitosa pregação da história do Evangelho, ao fim da qual tratou da nossa vinda e do achamento desta terra, conformando-se com o sinal da Cruz, sob cuja obediência viemos, o que foi muito a propósito e fez muita devoção".[5]

Como compreender o cerne da fé professada por 87% dos brasileiros? Podemos partir da cruz de Cristo, que é o vértice da cristandade e pode ser compreendida como um símbolo paradoxal e extremo de amor. No estudo *Pilatos e Jesus*, o filósofo italiano Giorgio Agamben explicita essa tensão por meio do resgate do termo grego *krisis*: o ato de julgar, oriundo de *krino*, que etimologicamente significa "separar, decidir". Ao lado do significado jurídico, convergem ainda no termo *krisis* um significado médico (*krisis* como o momento decisivo na evolução de uma doença, quando o médico deve "julgar" se o doente morrerá ou sobreviverá) e um significado teológico (o Juízo Final). Agamben afirma que a tensão no pensamento cristão entre temporal e eterno, transcendente e imanente, contingente e perene, divino e humano pode ser compreendida nos termos da *krisis*.

A cruz é aquele emblema que condensa a lógica cristã. Uma lógica totalmente oposta à lógica do domínio, da violência, do egoísmo, do abuso, arbitrariedade, agressividade. A cruz sintetiza todo o arcabouço da fé cristã, como afirmou Paulo de Tarso: "Assim, quando pregamos que o Cristo foi crucificado, os judeus se ofendem, e os gentios dizem que é tolice" (1Co 1.23). O apóstolo afirma que tal mensagem é ofensa e tolice para as pessoas que não creem. Na verdade, ela causou choque desde o início aos próprios seguidores de Jesus. O registro bíblico afirma que o discípulo Pedro procurou dissuadir Jesus de sua morte na cruz:

> Então Jesus começou a lhes ensinar que era necessário que o Filho do Homem sofresse muitas coisas e fosse rejeitado pelos líderes do povo, pelos principais sacerdotes e pelos mestres da lei. Seria morto, mas três dias depois ressuscitaria. Enquanto falava abertamente sobre isso com os discípulos, Pedro o chamou de lado e o repreendeu por dizer tais coisas.
>
> Jesus se virou, olhou para seus discípulos e repreendeu Pedro. "Afaste-se de mim, Satanás!", disse ele. "Você considera as coisas apenas do ponto de vista humano, e não da perspectiva de Deus".
>
> Marcos 8.31-33

O clérigo protestante e teólogo alemão Dietrich Bonhoeffer, que resistiu ao nazismo e, por isso, foi preso e morto, em 1945, comentou acerca deste trecho bíblico:

> Sofrimento e rejeição são os sentimentos que expressam, em suma, a crucificação de Jesus. Morrer na cruz significa sofrer e morrer como rejeitado, proscrito [...] O protesto de Pedro revela sua relutância em ser enviado para o sofrimento. Foi assim que Satanás entrou na Igreja, ele que almeja vê-la livre da cruz de seu Senhor.[6]

A mensagem da cruz é contrária ao senso comum, que exalta a força, o poder e a dominação. É a desconcertante mensagem de que Deus se fez homem e morreu para remover a culpa que paira sobre os seres humanos desde que se rebelaram contra seu desígnio: "A mensagem da cruz é loucura para os que se encaminham para a destruição, mas para nós que estamos sendo salvos ela é o poder de Deus" (1Co 1.18). O teólogo e bispo de Hipona Agostinho afirmou que Deus, "posto que o homem caiu por orgulho, recorreu à humildade para o curar. Nós, que fomos enganados pela sabedoria da serpente, seremos libertados pela loucura de Deus".[7] Conforme afirmou o historiador Jacques Le Goff, o peso fundamental da fé cristã ao longo de toda Idade Média é que Deus se fez homem

> e sua ação memorável, se assim posso exprimir, foi vencer a morte. Eis o modelo que ofereceu a seus fiéis. Porque morreu a morte mais miserável, a mais vergonhosa que existia em sua época, a morte dos escravos sobre a cruz, Jesus mostrou que todos os homens podem ser salvos, uma vez que o mais miserável entre eles foi salvo.[8]

Assim, por se situar em um paradoxo — ou, como coloca Agamben, em uma *krisis* — a condição cristã na ação político-social é paradoxal: Cristo nunca fez um apelo para mudanças programáticas políticas, mesmo que por meios pacíficos. Os cristãos da época da Igreja primitiva compreendiam que o maior problema do mundo era espiritual e não político, sendo que a missão prioritária da Igreja seria, portanto, espiritual. Eles entendiam que os resultados espirituais que queriam ver na sociedade só poderiam ser alcançados por meios espirituais e que uma genuína reforma moral nunca viria por mudanças na lei, mas no coração e na mente das pessoas. Aqueles homens e mulheres perceberam que não adianta estabelecer leis que obriguem as pessoas a viver como cristãs, pois só a obra do próprio Deus poderia promover essa transformação.

156 Brasil polifônico

Dessa forma, a maior potência do mundo para o cristão primitivo não era nenhum protesto político, mas a proclamação do evangelho de Cristo, pois só ele seria "o poder de Deus em ação para salvar todos os que creem" (Rm 1.16), como escreveu Paulo de Tarso.

É interessante notar que os primeiros cristãos viveram sob um governo muito mais opressivo do que os sistemas políticos de nosso tempo na sociedade ocidental, e jamais tentaram formar um partido político, ou mesmo alterar as leis romanas imorais. Pelo contrário, a estratégia era diferente: eles pregavam a palavra por onde quer que fossem (At 8.4). Na compreensão cristã, o maior bem temporal que poderiam realizar pela participação política não se poderia comparar com o que a mensagem da salvação poderia realizar. Segundo o texto da Primeira Carta de Pedro, assim como Deus havia chamado o antigo Israel, ele havia convocado a Igreja a ser um "reino de sacerdotes" e não um "reino de ativistas políticos" (1Pe 2.9).

Embora a Igreja primitiva não tivesse uma agenda política no sentido "estatal", houve a compreensão de que cada cristão pode se envolver na arena política como indivíduo, se assim for vocacionado. Há outros exemplos, no Novo Testamento, de cristãos convertidos que mantiveram seus cargos públicos, como o centurião (Mt 8.5-13), o publicano Zaqueu (Lc 19.1-10), o centurião Cornélio (At 10) e o procônsul Sérgio Paulo (At 13.4-12).

O teólogo John Stott afirma que os cristãos devem evitar os dois erros opostos, o do *laissez-faire* (não oferecer nenhuma contribuição ao bem-estar político da nação) e o da *imposição* (impor um ponto de vista minoritário a uma maioria que não o queira, como no caso das leis antialcoolismo nos Estados Unidos, no período do proibicionismo). Em vez disso, o cristão deve se lembrar de que a participação política é importante e democracia significa governar com o consentimento dos governados, que o "consentimento" é questão da opinião pública majoritária e que a opinião pública é volátil, aberta à influência cristã. O cristão deve contribuir positivamente com a política.[9]

Paulo escreveu a Tito: "Lembre a todos que se sujeitem ao governo e às autoridades. Devem ser obedientes e sempre prontos a fazer o que é bom. Não devem caluniar ninguém, mas evitar brigas. Que sejam amáveis e mostrem a todos verdadeira humildade" (Tt 3.1-2). O cristão deve estar pronto a fazer tudo o que é bom e buscar o bem de todos os homens. E não é esta justamente a missão da política, lutar pelo bem de todas as pessoas?

Razão

O conceito "razão" vem da etimologia latina *ratio*. Esse termo designava a conta que o escravo mantinha com seu dono em um "livro-razão", as contas de uma sociedade de comércio e, por metonímia, os "negócios" (*ratio*, derivado do verbo *reor*, "eu conto", "eu calculo"). O latinista Jean-Michel Fontanier afirma no *Vocabulário latino da filosofia*[10] que, assim como o termo grego *lógos*, *ratio* designa a faculdade de pensar que distingue o ser humano da besta selvagem. Segundo o orador latino Cícero, as bestas se movimentam à medida que seus sentidos e instintos os movem, enquanto o ser humano, pelo contrário, por participar da razão (*ratio*), discerne os encadeamentos, percebe as causas das coisas e seus preâmbulos, suas analogias e suas relações. Humanos são capazes de ligar o presente às coisas futuras, o que lhes permite abranger facilmente em sua visão o curso de toda a vida.

Razão é, antes de tudo, um livro concreto. É todo o repertório da trajetória humana, o registro de nossa história. No debate contemporâneo, precisamos resgatar a virtude da humildade, de reconhecer nossas limitações. O filósofo materialista francês André Comte-Sponville disse que "a humildade é uma virtude humilde: ela até duvida que seja uma virtude!".[11] Mas a humildade não chega a tanto, não se reduz à falsa modéstia. Se, por um lado, nossa memória é falha e limitada, por outro, temos a capacidade de criar um "livro-razão" para registrar as contas.

Esta é a potência da razão: ela pode resolver problemas, criar soluções, ir além do aparente. A razão começa a ir tão bem que pode se tornar egoísta e maldosa. O livro-razão para registrar contas comerciais pode ser usado para manter a escravidão. A razão humilde simplesmente se coloca em seu devido lugar: ela não pode fazer tudo, mas pode realizar muito. A humildade é o caminho do triunfo, não a imposição. Como disse Jesus, "os que se exaltam serão humilhados, e os que se humilham serão exaltados" (Mt 23.12).

O filósofo Immanuel Kant distinguiu o entendimento científico, calculado, da razão aberta, que colhe princípios. Enfatiza que a razão (*vernunft*) submerge na dialética e na ilusão quando impõe à sua dinâmica critérios válidos somente para o puro entendimento (*verstand*), responsável pela elaboração de determinações científicas. O professor Paul Gilbert estabelece:

> Kant, neste sentido, foi um excelente revelador da originalidade da inteligência humana, ao colocar em evidência os limites tanto do entendimento científico quanto da razão metafísica. Ele, por isso, reabriu o domínio original da compreensão do

transcendente em uma cultura que mantinha tal transcendente nos limites das possibilidades científicas.[12]

Gilbert observa que Kant não ofereceu uma reflexão construtiva sobre a razão como tal, contentando-se em derrubar as suas tentações. Além disso, a distinção proposta por Kant colocou em evidência um aspecto misterioso da razão, que é capaz de moldar o próprio dinamismo para submetê-lo às regras do entendimento e de negar, exatamente por isso, a própria natureza mais essencial.

Caso não aceite a distinção kantiana, a razão se torna especificamente violenta: além de mutilada se torna mutiladora. Gilbert afirma: um dado estranho das nossas culturas hipercientíficas é que uma violência, mais grave do que no passado, ocorre exatamente quando, ao se refutar a prudência kantiana, imagina-se que basta afrontar o mal com as técnicas científicas; capazes de eliminá-lo.[13]

Sintomática nesse sentido é a postura do chamado "ateísmo militante", arvorada na postura e nos textos de autores como Richard Dawkins, Samuel Harris e Christopher Hitchens. Ao comentar tal postura, que defende uma interpretação estritamente científica do mundo e trata com sarcasmo as crenças religiosas, o economista brasileiro Eduardo Gianetti diz:

> Os entusiastas do ateísmo militante revelam uma falta de tino e uma inépcia ante as demandas espirituais do ser humano que não fica em nada a dever à fé ingênua da maioria dos crentes e devotos aos quais se opõem [...]. Uma concepção intransigentemente científica da vida é uma das construções mais bizarras de que a mente humana é capaz. [...] religião por religião, a ciência

160 BRASIL POLIFÔNICO

como religião dos ateus militantes é séria candidata ao título de obtusa-mor das religiões.[14]

A racionalidade contemporânea deve reconhecer os limites próprios da razão. O ser humano não é só razão; antes, tem anseios estéticos, morais, espirituais e relacionais. É preciso ter equilíbrio no debate político, ter maior jogo de cintura. O escritor israelense e pacifista Amós Oz observa que "fanáticos são frequentemente sarcásticos. Alguns deles têm um senso de sarcasmo muito agudo, mas não de humor. O humor encerra em si a capacidade de rirmos de nós mesmos".[15]

Um povo que realmente pensa caminhará para o diálogo, não para o caos e a anarquia. O sociólogo e ex-presidente Fernando Henrique Cardoso afirmou: "cidadãos que pensam e agem pela própria cabeça não aceitam o papel de espectadores passivos. Querem falar e ser ouvidos. Querem o diálogo, não o monólogo, o convencimento, não a imposição, o argumento, não a retórica vazia, a autonomia, não o centralismo burocrático".[16] A razão tem, então, a capacidade de calcular. Está na hora de refazer nossos cálculos sociais.

Diálogo

Se permanecermos propagando disparates na arena pública nacional, as coisas não vão melhorar. Por isso, precisamos refletir. O filósofo búlgaro Tzvetan Todorov apresenta a distinção iluminista de ação/discurso em dois tipos: aquele cuja finalidade é promover o bem e aquele que aspira estabelecer o verdadeiro.

Os iluministas traçaram uma dicotomia entre o domínio da vontade, cujo horizonte é o bem; e o domínio do conhecimento, orientado para o verdadeiro. O exemplo da primeira ação seria a atividade política; da segunda, a ciência. Os iluministas concebiam, assim, uma diferença entre fato e interpretação, ciência e opinião, verdade e ideologia.

Nessa perspectiva, o bom desempenho da vida política numa república estaria ameaçado por dois perigos simétricos e inversos: o moralismo e o cientificismo. O moralismo reina quando o bem domina o verdadeiro e, sob pressão da vontade, os fatos se tornam uma matéria maleável. O cientificismo se impõe quando os valores parecem decorrer do conhecimento e as escolhas políticas se travestem em deduções científicas, sendo definido por Todorov como "uma doutrina filosófica e política, nascida com a modernidade, que parte da premissa de que o mundo é inteiramente passível de conhecimento; então passível de transformação de acordo com os objetivos que nos colocamos.[17]

De acordo com Todorov, nos regimes totalitários do século 20, moralismo e cientificismo foram engolfados por um terceiro fator ainda mais danoso: a apropriação do Estado da própria noção de "verdade":

Não é somente que nele os homens políticos recorram ocasionalmente à mentira — eles o fazem em todo lugar. É antes a própria distinção entre verdade e mentira, verdade e ficção que se torna supérflua, face às exigências puramente pragmáticas de utilidade e de conveniência. É por isso que nesses regimes a ciência não é invulnerável aos ataques ideológicos e a noção de informação objetiva perde seu sentido. A história é reescrita em função das necessidades do momento, mas as descobertas da biologia ou da física podem também ser negadas se forem julgadas inapropriadas.[18]

Para Todorov, moralismo, cientificismo e as mudanças no estatuto da verdade foram gravemente comprometidos após as experiências totalitárias do século 20. Contudo, essas ameaças às estruturas sociais não deixaram de existir, simplesmente assumiram novas formas no início do século 21.

É necessário confrontar a nebulosa ligação que o cientificismo contemporâneo estabelece entre teoria científica e discurso político. Todorov demonstrou a desonestidade intelectual e violência política cometida pela postura cientificista que tenta dar ares de ciência a decisões puramente ideológicas. Contudo, podemos também apontar a inconsistência conceitual em que o cientificismo cai ao tentar expandir uma teoria científica ao discurso político. Isso porque, por definição, uma teoria científica não é uma verdade.

Ciência não é a "verdade" ou a "conclusão", ciência é um devir do avanço do saber humano. Ciência não é uma última palavra, mas uma interminável e exigente perquisição, pautada em axiomas, saltos epistemológicos e raciocínio indutivo. Desde Karl Popper, a ciência possui um caráter teoricamente provisório daquilo que ainda não foi demonstrado falso.

Além disso, ao propor que entre uma teoria científica e o discurso político exista um nexo lógico obrigatório, os cientificistas contemporâneos retrocedem às concepções positivistas da ciência do século dezenove, que foram atropeladas após a experiência dos totalitarismos do século 20. Teorias, dados científicos e fatos tecnológicos obviamente são referências importantes para decisões jurídico-políticas, mas sempre em conjunto com outras estruturas discursivas que compõem a sociedade. Quando o cientificismo se coloca como juiz supremo acima de outros saberes ou crenças, ele na verdade se equipara a esses saberes e crenças. Em quais bases filosóficas poderia se impor o cientificismo sobre as demais crenças numa sociedade plural? Como observou o filósofo J. V. Casserley, o cientificismo acaba se tornando nada mais que uma nova forma de crença, de salvação.[19]

Em contrapartida devemos ser resolutos em combater toda sorte de moralismo no que concerne às teorias científicas e ao discurso político. O combate ao moralismo precisa começar em nossas próprias ações como cidadãos conscientes, pois, assim, teremos autoridade e credibilidade para combater o moralismo de modo coerente. É um contrassenso elementar e um ato de violência política qualquer tentativa de impor dogmas à força: seja na esfera política, seja na científica, seja na religiosa.

Vale aqui uma ênfase específica nas questões científicas: entes sociais não devem impor sua visão particulares sobre teorias científicas. Vale pontuar ainda: se alguém não concorda com determinada teoria científica, que crie e desenvolva uma teoria superior. Como afirmou o filósofo alemão Carl Hempel, citado pelo cientista canadense John Byl: "A transição de dados para teoria requer imaginação criativa. Hipóteses e teorias científicas não são derivadas de fatos observados, mas são inventadas para explicar ou justificar os dados".[20] Além de criteriosa pesquisa, teorias são fruto de criatividade e imaginação — talentos difíceis de encontrar na era de *memes* e massificação cultural.

Diálogo democrático no Brasil multiconfessional

É preciso compreender que vivemos em uma sociedade multiconfessional. O teólogo e pedagogo brasileiro Igor Miguel defende:

164   BRASIL POLIFÔNICO

A meu ver, confessionalidade deve ser entendida em sentido amplo. Neste caso, ela deveria ser concebida como um sistema de crenças fundado em alguma certeza (com *status* absoluto) que orienta e oferece sentido último para a vida, e por isso afeta o senso de justiça, ética, dignidade humana e sociedade. Sendo assim, teístas, deístas, panteístas, ateístas e mesmo agnósticos são todos, inevitavelmente, portadores de um sistema de crenças (cosmovisão), ou seja, uma confessionalidade formal ou informal. A diferença é que umbandistas acreditam em orixás como forças vitais, cristãos e judeus na existência de um único Deus pessoal que governa o universo, enquanto ateus sustentam a crença na não existência de Deus e, em geral, adotam algum "absoluto" (ao invés de alguma divindade evidente) que oriente sua posição sobre ética, direitos, justiça e dignidade humana. Alguns absolutos não teístas podem ser: a razão, a ciência, o capital, a utopia, a matéria, a cultura, o afeto, a história ou a natureza. Mesmo laicistas, que se esforçam para sustentar uma neutralidade religiosa do estado, em última instância, não são confessionalmente neutros, no sentido aqui tratado. Eles possuem uma crença de que a escola pública não deve ser lugar de proselitismo religioso, mas não questionam o proselitismo materialista, racionalista, naturalista, historicista ou partidário, que são, em última instância, sistemas de crenças.[21]

A multiplicidade de confessionalidades existentes na comunidade brasileira precisa, então, seguir as regras do jogo democrático e não tentar impor sua visão sobre as demais. De acordo com o filósofo político italiano Norberto Bobbio:

O modelo da sociedade democrática era o de uma sociedade centrípeta. A realidade que temos diante dos olhos é a de uma sociedade centrífuga, que não tem apenas um centro de poder

[...] mas muitos, merecendo por isto o nome [...] de sociedade policêntrica ou poliárquica [...]. O modelo do Estado democrático fundado na soberania popular, idealizado à imagem e semelhança da soberania do príncipe, era o modelo de uma sociedade monística. A sociedade real, subjacente aos governos democráticos, é pluralista.[22]

Da antiga democracia grega à moderna democracia representativa, existe também uma guinada de perspectiva: para os antigos, o todo era mais importante que a parte; para os modernos era o contrário. O pensamento do filósofo inglês John Locke é um divisor de águas nesse assunto, ao estabelecer bases para o liberalismo político. Segundo Cristiana Buarque de Hollanda:

> No modelo de Locke, o voto esporádico substitui a necessidade democrática da dedicação quase permanente à vida pública. Ao instituírem representantes, os indivíduos eximem-se dos sacrifícios ao coletivo e invertem o paradigma grego: a cidade passa a existir em função do homem, e não o homem em função da cidade. Nesse modelo, todos estão autorizados à liberdade privada e sujeitos a um mínimo de interferência da política.[23]

Os embates são obviamente complicados. Não são simples de resolver. Mas o clima de acirramento irracional não contribui para a sociedade brasileira como um todo. Os debates políticos que envolvam questões de fé precisam ser traduzidos em linguagem pública. Se qualquer grupo social pleitear por "x" ou "y", dentro dos parâmetros constitucionais, é um direito do grupo. Agora, o modo de operacionalizar a defesa pela manutenção ou pelo afastamento de determinado direito também precisa passar pelo crivo da lei e por um procedimento de argumentação coerente.

O jurista e filósofo espanhol Manuel Atienza afirma que o primeiro âmbito da argumentação jurídica é justamente na produção ou no estabelecimento das normas jurídicas, que se dá entre as argumentações que acontecem numa fase pré-legislativa e as que se produzem na fase propriamente legislativa: "As primeiras se efetuam como consequência do surgimento de um problema social, cuja solução — no todo ou em parte — acredita-se que possa ser a adoção de uma medida legislativa.[24]

Como exemplo da referida fase, Atienza apresenta as discussões a propósito da despenalização do aborto, da eutanásia ou do tráfico de drogas, ou da regulamentação do chamado tráfico de influências. A segunda fase na argumentação no âmbito de produção de normas surge quando um determinado problema passa a ser considerado pelo poder Legislativo ou por algum órgão do Governo, tendo ou não sido previamente discutido pela opinião pública. Atienza afirma: "enquanto na fase pré-legislativa se pode considerar que os argumentos têm, em geral, um caráter mais político e moral que jurídico, na fase legislativa os papéis se invertem, passando para o primeiro plano as questões de tipo técnico-jurídico.[25]

Essa é, de fato, uma tarefa complexa, mas também uma exigência que não pode ser ignorada na sociedade pluralista contemporânea. O filósofo pragmatista americano Richard Rorty afirmou, em diálogo com o filósofo e político italiano pós-modernista Gianni Vattimo, que as sociedades democráticas contemporâneas "fundamentam-se na ideia de que nada é sagrado, porque é possível discutir sobre qualquer coisa".[26]

A perpetuação de conflitos não interessa a nenhuma teoria da democracia. Desse modo, o debate político exige a capacidade de tradução de conteúdos em argumentos válidos para a sociedade. Essa exigência pode ser fundamentada por diferentes teorias da democracia, como a democracia deliberativa proposta pelo filósofo e sociólogo alemão Jürgen Habermas.

Na concepção habermasiana da deliberação democrática, é central a noção da tradução cooperativa de conteúdos religiosos. Habermas afirmou que a liberdade religiosa tem como contrapartida, de fato, uma pacificação do pluralismo das visões de mundo cujos custos se mostraram desiguais:

> Até aqui, o Estado liberal só exige dos que são crentes entre seus cidadãos que dividam a sua identidade, por assim dizer, em seus aspectos público e privado. São eles que têm de traduzir as suas convicções religiosas para uma linguagem secular antes de tentar, com seus argumentos, obter o consentimento das maiorias.[27]

Como concluirá Habermas:

> A procura por argumentos voltados à aceitabilidade universal só não levará a religião a ser injustamente excluída da esfera pública, e a sociedade secular só não será privada de importantes recursos para a criação de sentido, caso o lado secular se mantenha sensível para a força de articulação das linguagens religiosas.[28]

Segundo Habermas, o estabelecimento de uma fronteira, ainda que controversa, entre os argumentos seculares e religiosos é inevitavelmente fluido. Por isso, cabe "uma tarefa cooperativa em que se exija dos dois lados aceitar também a perspectiva do outro.[29]

Contudo, mesmo àqueles que não aceitam os postulados habermasianos, pode-se justificar a necessidade de um

168 Brasil polifônico

aperfeiçoamento nos pleitos políticos brasileiros por meio de uma visão pós-estruturalista da democracia. Seria possível, por exemplo, fundamentar a necessidade de os agentes entrarem no jogo da linguagem, não alimentando seu próprio dogmatismo, ou ressentimento, mas solucionando conflitos com uma postura agonística — nos termos de autores de linha pluralista democrática radical como William Connolly.[30]

Diálogo e cidadania: o resgate da virtude cívica

Virtude cívica na antiga Grécia era a atenção especial pelas coisas públicas, por aquilo que ajuda a todos, aquilo que hoje chamamos de *cidadania*. A sociedade precisa de representantes republicanos: autoridades que governem, legislem e julguem pensando no bem da totalidade dos brasileiros. "Nenhum homem é uma ilha", disse o poeta jacobino inglês John Donne, no século 17. Mas, como atualizou o escritor Amós Oz, não somos ilhas, mas penínsulas: metade ligada ao continente, metade voltada para o mar; metade ligada à família, aos amigos, às culturas, às tradições, ao país, ao sexo, à língua e muitos outros laços. E a outra metade quer ser deixada só e ficar voltada para o oceano.

Fato é que, nas relações humanas, nenhum de nós é uma ilha, mas nenhum de nós pode se misturar completamente com outro. Oz afirmou em seu texto *Como curar um fanático*: "A semente do fanatismo reside sempre numa autojustificativa sem concessões. [...] muito constantemente, o fanático só sabe contar até um; dois é uma cifra grande demais para ele ou ela".[31]

Precisamos amar o Brasil. O que Carlos Drummond de Andrade escreveu no poema *La possession du monde* acerca do Rio de Janeiro pode ser aplicado ao Brasil como um todo: "os homens célebres visitam a cidade. Obrigatoriamente exaltam a paisagem".[32] Ocorre que o Brasil, hoje, pode ser muito mais que uma bela paisagem, mas um protagonista sábio, ativo e frutífero na comunidade internacional. Organizado pela Constituição Federal de 1988, que o define como uma república federativa presidencialista, o Brasil é formado pela união de Distrito Federal, 26 estados e 5.570 municípios.[33] É o quinto maior país do mundo em extensão territorial e o sexto em população, ultrapassando 200 milhões de habitantes. A economia brasileira é a maior da América Latina e do hemisfério Sul, a nona maior do mundo por Produto Interno Bruto (PIB) e a sétima por Paridade do Poder de Compra (PCC).[34] Sem desprezar nossas vantagens naturais, somos a nação com a maior biodiversidade do planeta. Somente a Amazônia contém pelo menos um terço das florestas tropicais do mundo.[35]

Precisamos amar toda a Terra. Sérgio Abranches afirmou:

> Estamos chegando à exaustão do uso do combustível fóssil, que marcou esse ciclo da história humana [...] diante de condições meta-históricas, externas à sociedade humana, que não podemos controlar, mas que atuam como precondições de nossas ações e da nossa viabilidade como sociedade.[36]

O teólogo protestante R. C. Sproul colocou em belos termos: "Deus criou o governo a fim de proteger a humanidade — mas não apenas a humanidade. O governo deve proteger também o mundo. Quando Adão e Eva foram colocados no magnífico jardim, Deus lhes deu o mandato de cuidar, preparar e cultivar o jardim".[37]

Na célebre frase de Cristo no Sermão do Monte, Deus "dá a luz do sol tanto a maus como a bons e faz chover tanto sobre justos como injustos" (Mt 5.45). Cristãos, budistas, ateus, judeus e adeptos de outras concepções religiosas podem trabalhar em cooperação nos temas que colaboram para promover a justiça e a paz cívica. Isso deve ser feito não apenas porque é bom para a liberdade religiosa, mas porque é bom para todas as pessoas.

A Sabedoria personificada diz no milenar livro de Provérbios: "Graças a mim, os reis governam e as autoridades emitem decretos justos" (Pv 8.15). O livro de Provérbios aliás é rico em orientações para a vida pública: "A corrupção moral de uma nação faz cair seu governo, mas o líder sábio e prudente traz estabilidade" (Pv 28.2). Um governante sensato deve se cercar de pessoas honestas: "Remova os perversos da corte do rei, e seu reinado se firmará na justiça" (Pv 25.5).

A ética do Brasil jamais será maior que a ética dos brasileiros. O Brasil somos nós, os brasileiros. Como consequência da corrupção política, os discursos políticos são imediatamente associados à mentira: "Não convém ao tolo falar com eloquência, e muito menos ao governante mentir" (Pv 17.7). O governante deve estar consciente que ele é, antes de tudo, um servo do povo, não um carrasco. Todo governante impõe naturalmente temor às pessoas (Pv 19.12; 20.2). Contudo, o governante servo da Sabedoria deve atuar com bondade: "Bondade e fidelidade protegem o rei; seu trono é firmado pelo amor" (Pv 20.28).

Na sabedoria bíblica, a autoridade do Estado foi delegada por Deus e, portanto, não é intrínseca, mas derivada, o que significa que jamais deve ser absolutista. Por fim, a Sabedoria é muito clara e ensina que toda pessoa que possui poder, tem o dever de usar sua influência em favor dos desamparados: "Fale em favor daqueles que não podem se defender; garanta justiça para os que estão aflitos. Sim, fale em favor dos pobres e desamparados, e providencie que recebam justiça" (Pv 31.8-9).

Os brasileiros precisam voltar a dialogar. O secretário-geral da ONU António Guterres afirmou:

> A comunidade internacional perdeu grande parte de sua capacidade em matéria de prevenção e resolução de conflitos. E uma das razões para isso é o fato de as relações de poder serem cada vez menos claras e, portanto, é cada vez mais difícil de se criar uma ordem internacional organizada.[38]

De acordo com Guterres, o Brasil é figura-chave para mediação de conflitos globais, dada sua política externa independente, seu bom relacionamento com todas as nações e sua tradição legislativa na defesa dos direitos humanos. É um grande paradoxo: temos o potencial de mediadores globais, mas estamos em convulsão interna, andando em círculos, em discussões infrutíferas. É necessário manter a fé, a esperança e o amor.

Precisamos amar nosso povo. O povo brasileiro é o centro do Brasil. Isso não passou despercebido pela geração brilhante que ergueu nossa atual capital, Brasília. Em 1959, diante da cidade feita, o arquiteto Lúcio Costa afirmou que o comoveu em particular o fato de a sede dos três poderes fundamentais não estarem "no centro do núcleo urbano, mas na sua extremidade [...] porque assim sobrelevados e tratados com dignidade e apuro arquitetônicos em contraste com a natureza agreste circunvizinha, eles se oferecem simbolicamente ao povo: votai que o poder é vosso".[39] Precisamos de mais sal e menos ácido; menos olho por olho e mais olho no olho.

CONCLUSÃO

Escrevi esta obra com o objetivo de jogar luz no debate político brasileiro deste início de século 21. A novidade deste período não é tanto a convulsão política, pois crises políticas são inerentes a qualquer nação, e o Brasil já passou por várias. Um dos grandes diferenciais no debate político brasileiro atual é a consolidação de um novo grupo confessional, plural em sua composição, com maiores ou menores ligações com a Reforma Protestante, ao qual nos referimos como "evangélicos".

Verifica-se estatisticamente o crescimento desse segmento religioso e a ampliação de sua participação política. Os "evangélicos" se tornaram incontornáveis ao debate nacional e a "política brasileira" se tornou incontornável aos evangélicos.

Nesse embate entre evangélicos e os poderes políticos, acadêmicos e midiáticos do país há uma densa nuvem de opiniões anacrônicas e dessincronizadas. A perpetuação de uma visão infantil sobre o que significam os evangélicos por parte das estruturas de poder da nação e uma visão superficial sobre o

174 BRASIL POLIFÔNICO

que significa o poder de uma nação por parte de um segmento das lideranças evangélicas não contribuem para os interesses nacionais.

Por interesses nacionais não nos referimos a alguma agenda enviesada, ideológica, específica, mas aos objetivos consagrados na Carta Constitucional de 1988, em seu artigo 3º, valores e alvos do Estado Democrático de Direito, comungados pelo Direito Internacional, como "construir uma sociedade livre, justa e solidária".

Por essa razão, no curso deste livro procuramos realizar reconstruções conceituais e históricas de estruturas jurídico--filosóficas fundamentais: o respeito à ordem constitucional; a natureza e os limites do poder do Estado moderno; a separação entre Estado e instituições religiosas; o paradigma do Estado Democrático de Direito e a defesa dos direitos fundamentais; a laicidade estatal e a garantia da liberdade religiosa; a necessidade de diálogo e do uso público da razão.

Como fechamento da obra, podemos apontar com absoluta convicção três eixos para um diálogo democrático justo e construtivo.

1. O diálogo democrático começa a partir da Constituição Federal e da garantia dos direitos humanos

Estas são nossas balizas civilizacionais e jurídico-institucionais: A Constituição Federal (nossa lei constituinte, máxima) e o Estado Democrático de Direito (nosso paradigma estatal). Nossos diálogos devem partir daí, não de achismos subjetivos. A sociedade brasileira possui um ordenamento legal e todos devemos respeitá-lo, pois o poder emana do povo brasileiro. O poder não vem de igrejas evangélicas nem de outras instituições religiosas, de corporações midiáticas, de partidos políticos ou de empresas privadas — somente do povo.

O respeito à lei é o respeito à autoridade do povo brasileiro. A polarização é desejável em um regime de liberdade como a democracia brasileira, porém, dentro dos parâmetros da lei. Não importa o credo da pessoa, todos nós, brasileiros, devemos agir em conformidade com a lei magna de nosso país. De igual modo, a confissão religiosa ou ideológica de um brasileiro ou brasileira não o priva de seus direitos de participação política e cidadania.

Verificamos que o respeito à legalidade é a linha elementar de qualquer povo civilizado, e nossa Constituição assegura os direitos fundamentais de todo cidadão. O menosprezo pelos direitos fundamentais é uma atitude temerária, que renega conquistas jurídico-institucionais auferidas a duras penas pela comunidade internacional. Em tempos de intolerância e amnésia coletiva, quando antigos assombros — como autoritarismo, racismo, xenofobia e outras aberrações — voltam ao centro da pauta pública ocidental, é necessário reafirmar com contundência o marco civilizacional dos direitos humanos.

2. O diálogo democrático ocorre em um ambiente de respeito, tolerância e racionalidade

O genuíno diálogo pelo bem da nação e de todas as pessoas passará pelo crivo da humanização das discussões, do respeito mútuo, da tolerância. Na sociedade brasileira, com mais de 200 milhões de habitantes, é normal a diferença; o anormal é a violência. É necessário aprender a conviver com o diferente.

O tecido social é complexo. Politicamente, a própria postura evangélica é heterogênea no modo de pensar e se organizar, uma vez que a descentralização e a independência teológica e organizacional são traços característicos de todas as comunidades associadas de algum modo ao protestantismo histórico.

Essa heterogeneidade é verificada também no campo político. Por exemplo, uma rápida análise dos partidos políticos aos quais pertencem os deputados integrantes da Frente Parlamentar Evangélica revela que a presença evangélica se dá em todos os cantos do espectro político brasileiro. Essa diversidade de escopos na atividade política evangélica se reflete também na própria pulverização do "voto evangélico". Nas eleições presidenciais brasileiras de 2014, os três primeiros colocados no primeiro turno, receberam, cada um, apoio de segmentos evangélicos diferentes.[1]

A pluralidade ideológica e confessional é um fato social. Portanto, bravatas, preconceitos e discursos de ódio trazem trevas à arena pública, impossibilitando a cooperação cívica. Dialogar racionalmente é dialogar genuinamente, é perceber os pontos convergentes entre grupos que pensam diferente, é trabalhar consensos equilibrados, é ouvir todos os lados envolvidos, é dimensionar as coisas como de fato são. O messianismo político é um caminho irracional na condução do debate público nacional. Verificamos nesta obra que a deificação de líderes políticos é uma constante na história política, sendo o culto imperial dos romanos um exemplo antigo e o nazismo alemão um exemplo mais recente. Demagogia e polarizações irracionais camuflam projetos obscuros de poder.

Desse modo, não podemos ser hipersensíveis no debate político; precisamos ser mais razoáveis. A recusa em encarar embates racionais é a entrega à superstição. É necessário trazer racionalidade aos debates públicos, criando uma contracultura democrática em meio ao fluxo de fanatismo.

Para cultivar a democracia, precisamos parar de querer exercer controle sobre a consciência dos outros. A tolerância nasce da constatação de que as pessoas são diferentes e há áreas da vida em que existem opiniões conflitantes. É a tolerância que sabe priorizar o conjunto e criar um ambiente adequado para a resolução de conflitos. É a tolerância que estabiliza instituições, cria sincronias e apara arestas inúteis.

3. O diálogo democrático avança com educação, republicanismo e integridade ética

O Brasil precisa superar seus impasses elementares e avançar na luta contra suas mazelas históricas e na resolução de suas demandas contemporâneas. Isso só será possível com a formação de consensos elementares entre os líderes da sociedade civil e o desenvolvimento de um novo projeto de nação. Nesse sentido, o papel da educação é essencial. Escola não é esmola. Como Joaquim Nabuco pontuou, o escritor "Emerson quisera que a educação da criança começasse cem anos antes de ela nascer".[2]

O Brasil avançará com representantes republicanos: autoridades que governem, legislem e julguem pensando no bem da totalidade dos brasileiros. Democracia não significa a tirania da maioria. Precisamos também de integridade ética. A integridade do Brasil jamais será maior que a integridade dos brasileiros, porque o Brasil é o brasileiro.

Diante do recrudescimento dos conflitos políticos no Brasil, não podemos esquecer qual é o objetivo central que interessa a todos nós: construir uma sociedade livre, justa e solidária. O diálogo democrático é uma das ferramentas mais poderosas nessa construção. Ele é um testemunho pela tolerância e pela edificação de entendimento mútuo e respeitoso, sem exigência de extinção das diferenças, que são óbvias e evidentes na sociedade.

O diálogo não nasce de oportunismos baratos, mas, sim, de uma sequência consistente de reflexões, intercâmbios e refinamento de ideias. O diálogo democrático tem sua utopia máxima no convívio fraterno e amoroso e é o que todos devemos almejar. Esse é o horizonte máximo do gênero humano: viver em paz numa sociedade fraterna.

NOTAS

Introdução

[1] Daniel J. LEVITIN. *A mente organizada: Como pensar com clareza na era da sobrecarga de informação*. Rio de Janeiro: Objetiva, 2015, p. 41.

[2] Manuel CASTELLS. *A era da informação: Economia, sociedade e cultura. Vol.1: A sociedade em rede*. São Paulo: Paz e Terra, 1999.

[3] Joshua Cooper RAMO. *A era do inconcebível: Por que a atual desordem do mundo não deixa de nos surpreender e o que podemos fazer*. São Paulo: Companhia das Letras, 2010.

[4] Anthony GIDDENS. *Mundo em descontrole*. Rio de Janeiro: Record, 2007.

[5] Gilles LIPOVETSKY e Jean SERROY. *A cultura-mundo: Resposta a uma sociedade desorientada*. São Paulo: Companhia das Letras, 2011.

[6] Gilles LIPOVETSKY. *Os tempos hipermodernos*. São Paulo: Barcarolla, 2004, p. 53.

180 Brasil polifônico

[7] Disponível em: <http://www.bbc.com/portuguese/interna cional-38635398> Acesso em: 20 out. 2017.

[8] Byung-Chul HAN. *Sociedade do cansaço*. Petrópolis: Vozes, 2015, p. 7.

[9] Jean BAUDRILLARD. *Sociedade de consumo*. Lisboa: Edições 70, 2008.

[10] Karl POPPER. *A lógica da pesquisa científica*. São Paulo: Cultrix, 2007.

[11] Cf. a este respeito o ensaio de André Lara Resende: "*Sobre a relevância da racionalidade*" in: André Lara RESENDE. *Devagar e simples: Economia, Estado e vida contemporânea*. São Paulo: Companhia das Letras, 2015, p. 65-93.

[12] Michel VOVELLE. *Ideologias e mentalidades*. Brasília: Brasiliense, 1987.

[13] Peter BURKE. *A escrita da história: Novas perspectivas*. São Paulo: Editora da UNESP, 1992.

[14] Gilles DELEUZE. Félix GUATTARI. *Mil platôs: Capitalismo e esquizofrenia. Vol.2*. São Paulo: Editora 34, 2011.

[15] Marc AUGÉ. *Prendere tempo: Un'utopia dell'educazione. Conversazione com Filippo La Porta*. Roma: Lit Edizioni Srl, 2016.

[16] Zygmunt BAUMAN. *Amor líquido: Sobre a fragilidade dos laços humanos*. Rio de Janeiro: Zahar, 2004.

[17] Manuel CASTELLS. "A sociedade em rede e os movimentos sociais" in: Fernando Luís SCHÜLER. Eduardo WOLF. *Pensar o contemporâneo*. Porto Alegre: Arquipélago Editorial, 2014.

[18] John Langshaw AUSTIN. *Quando dizer é fazer: Palavras e ação*. Porto Alegre: Artes Médicas, 1990.

Capítulo 1

[1] Disponível em: <http://datafolha.folha.uol.com.br/opiniao publica/2016/12/1845231-44-dos-evangelicos-sao-ex-catoli cos.shtml> Acesso em: 26 de mai. de 2017.

[2] Disponível em: <http://politica.estadao.com.br/noticias/ eleicoes,dilma-prepara-vetos-a-agenda-positiva-dos-par lamentares-imp-,1053793> e <http://g1.globo.com/politica/ noticia/2013/08/como-ficou-agenda-positiva.html>. Acesso em: 23 de nov. de 2017.

[3] Disponível em: <http://www.tse.jus.br/imprensa/noticias-tse/ 2014/Dezembro/plenario-do-tse-proclama-resultado-de finitivo-do-segundo-turno-da-eleicao-presidencial>. Acesso em: 23 de nov. de 2017.

[4] Disponível em: <http://www1.folha.uol.com.br/poder/2015 /03/1603271-paulista-reune-maior-ato-politico-desde-as-diretas-ja-diz-datafolha.shtml>. Acesso em: 23 nov. de 2017.

[5] Disponível em: <https://oglobo.globo.com/brasil/garotinho-cabral-devem-se-encontrar-no-banho-de-sol-na-prisao-em-benfica-22101572>; <https://oglobo.globo.com/brasil/ infografico-duas-decadas-de-poder-no-rio-atras-das-grades-22099268>; e <https://exame.abril.com.br/bra sil/5-dos-7-governadores-do-rio-desde-82-estao-na-mira-da-justica/>. Acesso em: 23 de nov. de 2017.

[6] Disponível em: <https://exame.abril.com.br/brasil/das-50- -cidades-mais-violentas-do-mundo-19-sao-brasileiras/>. Acesso em: 20 de out. de 2017.

[7] Disponível em: <http://www.ipea.gov.br/portal/index.php? option=com_content&view=article&id=30253>. Acesso em: 20 de out. de 2017.

[8] Thomas HOBBES. *Leviatã: Ou matéria, forma e poder de um Estado eclesiástico e civil*. São Paulo: Abril, 1974, p. 64.

[9] Ari Pedro ORO. "Algumas interpelações do pentecostalismo no Brasil". In: *Horizonte*. Belo Horizonte, v. 9, n. 22, jul./set. 2011, p. 390.

[10] Sandra Duarte de Souza. "Mulheres evangélicas na política: tensionamentos entre o público e o privado". In: *Horizonte*. Belo Horizonte, v. 13, n. 39, jul./set. 2015, p. 1274.

[11] Clara Mafra. "Distância territorial, desgaste cultural e conversão pentecostal". In: Ronaldo de Almeida. Clara Mafra (org). *Religiões e cidades: Rio de Janeiro e São Paulo*. São Paulo: Terceiro Nome, 2009, p. 72.

[12] Como atestam, por exemplo, a sede mundial da Igreja Pentecostal Deus é Amor; o Templo da Glória de Deus (2004), com capacidade para mais de 60 mil pessoas na região central da cidade de São Paulo; e a inauguração da sede mundial da Igreja Universal do Reino de Deus, em área de 100 mil m² na cidade de São Paulo, o Templo de Salomão (2014), com a presença da então Presidente da República Dilma Rousseff, do Governador do Estado Geraldo Alckmin, do Prefeito da Cidade Fernando Haddad, entre outras autoridades.

[13] Isael de Araújo. *100 Acontecimentos que marcaram a História das Assembleias de Deus no Brasil*. Rio de Janeiro: CPAD, 2011, p. 523.

[14] A página da Frente Parlamentar Evangélica no Congresso Nacional no *site* da Câmara dos Deputados apresenta nome, partido e estado de cada deputado participante, e sinaliza também os deputados signatários da FPE mas que não estão em exercício. Disponível em: <http://www.camara.leg.br/internet/deputado/frenteDetalhe.asp?id=53658>. Acesso em: 26 de maio de 2017.

[15] Oro, 2011, p. 390, 393.

[16] Ricardo Mariano. *Mudanças no campo religioso brasileiro no Censo 2010*. Debates do NER, Porto Alegre, ano 14, n. 24, jul./dez. 2013, p. 124.

[17] English Oxford Dictionaries. *Post-truth*. Disponível em: <https://en.oxforddictionaries.com/word-of-the-year/word-of-the-year-2016>. Acesso em: 19 de fev. de 2017.

[18] Frank CUNNINGHAM. *Teorias da democracia*. Porto Alegre: Artmed, 2009, p. 30-31.

Capítulo 2

[1] Javier HERVADA. *Lições propedêuticas de filosofia do direito*. São Paulo: Martins Fontes, 2008, p. 266.

[2] Jean RIVERO. Hugues MOUTOUH. *Liberdades públicas*. São Paulo: Martins Fontes, 2006, p. 38.

[3] *Op. cit.*, p. 379.

[4] J. I. PACKER. *Teologia concisa: Síntese dos fundamentos históricos da fé cristã*. Campinas: LPC, 1998, p. 220.

[5] Idem, p. 220.

[6] Antonio Carlos do Amaral AZEVEDO. *Dicionário histórico de religiões*. Rio de Janeiro: Lexikon, 2012, p. 88.

[7] John STOTT. *Ouça o Espírito, ouça o mundo*. São Paulo: ABU, 2005, p. 106.

[8] John M. KELLY. *Uma breve história da teoria do direito ocidental*. São Paulo: Martins Fontes, 2010, p. 108.

[9] Harry R. BOER. *A short history of the church*. Cambridge: W.B. Eerdman Publishing, 1976, p. 45.

[10] P. C. TÁCITO. "Anais, XV.44". In: Henry BETTENSON. *Documentos da Igreja cristã*. São Paulo: Aste, 2011, p. 27.

[11] RIVERO; MOUTOUH, *op. cit.*, p. 38.

[12] *Constituição da República Federativa do Brasil: texto compilado até a Emenda Constitucional nº 97 de 04/10/2017*. Brasília: Senado Federal, 2017.

[13] Juarez ALTAFIN. *O Cristianismo e a Constituição*. Belo Horizonte: Del Rey, 2007.

[14] Idem, p. 14.

[15] Luc FERRY. Lucien JERPHAGNON. *A tentação do cristianismo: De seita a civilização*. Rio de Janeiro: Objetiva, 2011, p. 12-13.

[16] *Op. cit.*, p. 13.

[17] Robinson CAVALCANTI. *A Igreja, o país e o mundo: Desafios a uma fé engajada*. Viçosa: Ultimato, 2000, p. 85.

[18] Jacques LE GOFF. *O Deus da Idade Média: Conversas com Jean-Luc Pouthier*. Rio de Janeiro: Civilização Brasileira, 2010, p. 19.

[19] Antonio Carlos do Amaral AZEVEDO. *Dicionário histórico de religiões*. 2.ed. Rio de Janeiro: Lexikon, 2012, p. 84.

[20] J. B. LIBANIO. *Qual o futuro do Cristianismo?* São Paulo: Paulus, 2008, p. 84.

[21] Fábio Konder COMPARATO. *Ética: Direito, moral e religião no mundo moderno*. São Paulo: Companhia das Letras, 2006, p. 155.

[22] Alceu Amoroso LIMA. *Introdução ao direito moderno*. Rio de Janeiro: Editora PUC Rio, 2001, p. 136.

[23] Luis Felipe MIGUEL. *O nascimento da política moderna*. Brasília: Editora UnB, 2007, p. 12.

[24] Marcelo Campos GALUPPO. *Igualdade e diferença: Estado democrático de direito a partir do pensamento de Habermas*. Belo Horizonte: Mandamentos, 2002, p. 62-63.

[25] Antônio Carlos WOLKMER. "Cultura jurídica moderna, humanismo renascentista e Reforma Protestante". In: *Revista Sequência*, Florianópolis, nº 50, p. 9-27, jul. de 2005.

[26] *Nota doutrinal sobre algumas questões relativas à participação e ao comportamento dos católicos na vida política* (Documentos da Igreja). 2ª ed. São Paulo: Paulinas, 2005.

[27] Joseph RATZINGER. *Ser cristão na era neopagã. Vol. 2: Discursos e Homilias (2000-2004) & Debates (1993-2000)*. Campinas: CEDET, 2015, p. 94.

[28] Idem, p. 94.

[29] Idem.

[30] *Op. cit.*, p. 19.

[31] Idem, p. 19.

[32] *Pronunciamentos no Brasil: Visita apostólica do Papa Francisco ao Brasil por ocasião da XXVIII Jornada Mundial da Juventude*. São Paulo: Loyola, 2013, p. 54.

[33] COMPARATO, *op. cit.*, p. 176.

[34] Fernando Rey MARTÍNEZ. *La ética protestante y el espíritu del constitucionalismo: la impronta calvinista del constitucionalismo norteamericano*. Bogotá: Universidade Externado de Colombia, 2003, p. 50-51.

[35] Armando Araújo SILVESTRE. *Calvino e a resistência ao Estado*. São Paulo: Editora Mackenzie, 2003, p. 184.

[36] John WITTE JR. *The Reformation of Rights: Law, Religion, and Human Rights in Early Modern Calvinism*. Cambridge: Cambridge University Press, 2007, p. 56.

[37] João CALVINO. *As Institutas da Religião Cristã. Tomo 2*. São Paulo: UNESP, 2009, p. 883.

[38] Wilhelm WACHHOLZ. *História e teologia da Reforma: Introdução*. São Leopoldo: Sinodal, 2010, p. 159.

[39] André BIÉLER. *O pensamento econômico e social de Calvino*. São Paulo: Casa Editora Presbiteriana, 1990, p. 388.

[40] Campo de estudos ainda incipiente na academia brasileira, o aprofundamento na compreensão da influência calvinista sobre o direito moderno é desenvolvido em diversos textos da filosofia jurídico-política global, como: *La pensée économique*

186 Brasil polifônico

et sociale de Calvin, de André Biéler (1959*), Il problema della giustizia nel protestantesimo tedesco contemporaneo*, de P. L. Zampetti (1962), *The Language of Liberty 1660-1832: Political Discourse and Social Dynamics in the Anglo-American World*, de J. C. D. Clarke (1994); *The Origins of Modern Freedom in the West*, de R. W. Davis (1995); e *Transformations in Medieval and Early-Modern Rights Discourse*, editado por Virpi Mäkinen e Petter Korkman (2006); *The foundations of modern political thought*, de Quentin Skinner (1978); *The Reformation of Rights: Law, Religion, and Human Rights in Early Modern Calvinism*, de John Witte (2007); *La ética protestante y el espíritu del constitucionalismo*, de Fernando Rey Martínez (2003) e *Uma história da justiça*, de Paolo Prodi (2000). Cf. Davi Pereira do Lago. *A influência do calvinismo na fundação da democracia norte-americana*. Orientador: Marcelo Campos Galuppo. Dissertação de mestrado, — Pontifícia Universidade Católica de Minas Gerais. Programa de Pós-Graduação em Direito. Belo Horizonte, 2013.

[41] *Confissão de Fé de Westminster*. São Paulo: Cultura Cristã, 2001.

[42] John Stott. *Pacto de Lausanne comentado por John Stott*. São Paulo: ABU, 2003, p. 77.

Capítulo 3

[1] Jean Rivero. Hugues Moutouh. *Liberdades públicas*. São Paulo: Martins Fontes, 2006, p. 37.

[2] São Paulo: Barcarolla, 2008, p. 14.

[3] Jean-Jacques Rousseau. *Du contrat social*. Paris: GF Flammarion, 2001, p. 46.

[4] *Op. cit.*, p. 18.

[5] *Op. cit.*, p. 58.

[6] Wayne MORRISON, *Filosofia do Direito: Dos gregos ao pós--modernismo*. São Paulo: Martins Fontes, 2006, p. 292.

[7] Idem, p. 294-295.

[8] Para a compreensão sobre o debate a respeito da racionalidade dialética na filosofia contemporânea, recomendo ler: Manfredo Araújo OLIVEIRA. *Para além da fragmentação: pressupostos e objeções da racionalidade dialética contemporânea.* São Paulo: Loyola, 2002.

[9] Fernando MAGALHÃES. *10 lições sobre Marx.* Petrópolis, RJ: Vozes, 2014, p. 36-37.

[10] No ensaio *O marxismo e a fé cristã*, Richard J. Sturz apresenta uma síntese do estudo de Charles W. Lowry *Communism and Christ*. Lowry elabora um quadro comparativo entre o cristianismo e o comunismo apontando primeiro o conteúdo cristão e depois como tal conteúdo foi adaptado no comunismo: Deus Criador é substituído pelo materialismo dialético; a Trindade se torna a tríade Marx (legislador), Lênin (a verdade) e Stalin (o guia); o povo escolhido de Deus se torna o proletariado, destinado a herdar a terra; o mal compreendido como pecado, morte e alienação de Deus é transmutado em propriedade privada e alienação do trabalhador; a redenção pela obra vicária de Jesus Cristo na cruz é transformada na revolução e no sofrimento do proletariado; a igreja movida pelo amor e misericórdia é substituída pelo Partido e pela luta de classes; as Escrituras Sagradas se tornam os escritos de Marx e Lênin; a segunda vinda de Jesus e o Juízo Final se tornam a mudança de estruturas e a vitória dos operários sobre a burguesia; o reino de Deus é substituído pelo fim do Estado e a sociedade final sem classes (cf. Richard J. STURZ. *O marxismo e a fé cristã,*

in: Colin BROWN. *Filosofia e fé cristã*. São Paulo: Vida Nova, 1989). As simetrias entre marxismo e fé cristã chegam a ser estudadas em discussões antropológicas: "Embora sejam radicalmente diferentes no tocante ao conteúdo, apresentam notáveis semelhanças em termos de estrutura, na maneira como as partes de cada uma das doutrinas se integram entre si e dão origem a modos de vida" (Leslie STEVENSON. David L. HABERMAN. *Dez teorias da natureza humana*. São Paulo: Martins Fontes, 2005, p. 9). Wayne Morrison aborda a dificuldade em conceituar "marxismo", dada sua ampla gama de pretensões e desenvolvimentos históricos: "É uma filosofia, uma sociologia, uma religião... ou uma mistificação?" (MORRISON, p. 291).

[11] MORRISON, p. 292.

[12] Karl MARX. Friedrich ENGELS. "The Manifesto of the Communist Party" in: *The Communist Manifesto*. London: Penguin, 2004, p. 52.

[13] Eric J. HOBSBAWN. *Era dos extremos: O breve século XX: 1914-1991*. São Paulo: Companhia das Letras, 1995, p. 21.

[14] Eduardo GIANETTI. *Trópicos utópicos: Uma perspectiva brasileira da crise civilizatória*. São Paulo: Companhia das Letras, 2016, p. 16.

[15] Sérgio ABRANCHES. *A era do imprevisto: A grande transição do século XXI*. São Paulo: Companhia das Letras, 2017, p. 64.

[16] Fernando Henrique CARDOSO. *Xadrez internacional e social-democracia*. São Paulo: Paz & Terra, 2010, p. 129.

[17] William A. EDMUNDSON. *Uma introdução aos direitos*. São Paulo: Martins Fontes, 2006, p. 20.

[18] Supremo Tribunal Federal — Pleno. MS nº 22164/SP. Relator: Min. Celso de Mello. Brasília, 30 de outubro de 1995. Disponível em: <http://redir.stf.jus.br/paginadorpub/paginador.

jsp?docTP=AC&docID=85691>. Acesso em: 27 de nov. de 2017.

[19] Disponível em: <http://www.ohchr.org/EN/UDHR/Documents/UDHR_Translations/por.pdf> Acesso em: 28 de nov. de 2017.

[20] Jürgen HABERMAS. *Sobre a constituição da Europa: Um ensaio*. São Paulo: Unesp, 2012, p. 11-12.

[21] Idem, p.11.

[22] Hannah ARENDT. *Sobre a violência*. Rio de Janeiro: Civilização Brasileira, 2013, p. 17.

[23] Norberto BOBBIO. *Democracia e segredo*. São Paulo: Unesp, 2015, p. 69.

[24] Tzvetan TODOROV. *Os inimigos íntimos da democracia*. São Paulo: Companhia das Letras, 2012, p. 14.

[25] Idem, p. 83.

[26] John RAWLS. *O direito dos povos*. São Paulo: Martins Fontes, 2000, apud: Luiz Paulo ROUANET. *Paz, justiça e tolerância no mundo contemporâneo*. São Paulo: Loyola, 2010, p. 51.

[27] Norberto BOBBIO. *A era dos direitos*. Rio de Janeiro: Campus, 2004.

Capítulo 4

[1] Luiz Paulo ROUANET. *Paz, justiça e tolerância no mundo contemporâneo*. São Paulo: Loyola, 2010, p. 186.

[2] Marilena CHAUÍ. *Introdução à história da filosofia: Dos pré-socráticos a Aristóteles. Vol. 1*. São Paulo: Companhia das Letras, 2002, p. 132.

[3] Idem, p. 133.

[4] Norberto BOBBIO. *Democracia e segredo*. São Paulo: Unesp, 2015, p. 135.

[5] Rainerson ISRAEL. *A coragem de ser para os outros.* Rio de Janeiro: EA, 2013, p. 41.

[6] Christian DUNKER. *Reinvenção da intimidade: Políticas do sofrimento cotidiano.* São Paulo: UBU, 2017, p. 277.

[7] Jürgen ROLOFF. "O culto no protocristianismo" in: Hans-Christoph SCHMIDT-LAUBER. *Manual de ciência litúrgica.* São Leopoldo: Sinodal, 2011, p. 80.

[8] Atos 17.16-31; cf. John STOTT. *A mensagem de Atos.* São Paulo: ABU, 2008.

[9] 1Timóteo 2.1-2.

[10] Norberto BOBBIO. *Liberalismo e democracia.* São Paulo: Brasiliense, 2013, p. 59.

[11] Norberto BOBBIO. *O futuro da democracia.* São Paulo: Paz & Terra, 2015, p. 47.

[12] Idem, p. 48-49.

[13] Cristina Buarque de HOLLANDA. *Teoria das elites.* Rio de Janeiro: Zahar, 2011, p. 43.

[14] *Op. cit.,* p. 134.

[15] *Op. cit.,* p. 165-166.

[16] João Baptista Mascarenhas de MORAES. *A FEB pelo seu comandante.* Rio de Janeiro: Biblioteca do Exército, 2005, p. 25.

[17] Durval de Noronha GOYOS JR.. *A campanha da Força Expedicionária Brasileira pela libertação da Itália.* São Paulo: Cultura Acadêmica, 2013, p. 117.

[18] Fernando Lourenço FERNANDES. *A estrada para Fornovo: A FEB — Força Expedicionária Brasileira, outros exércitos & outras guerras na Itália, 1944-1945.* Rio de Janeiro: Nova Fronteira, 2011.

[19] *Op. cit.*, p. 333-334. Os aparentes erros de pontuação e truncamentos no texto se devem à literalidade da transcrição do texto, natural em telegramas da época.

[20] Eugênio GARCIA. "De como o Brasil quase se tornou membro permanente do Conselho de Segurança da ONU em 1945". *Rev. Bras. Polit. Int. 54(10): 159-177 [2011].* Disponível em: <http://www.scielo.br/pdf/rbpi/v54n1/v54n1a10.pdf>. Acesso em: 01 de dez. de 2017.

[21] Timothy SNYDER. *Sobre a tirania: Vinte lições do século XX para o presente.* São Paulo: Companhia das Letras, 2017, p. 69.

[22] Christian DUNKER. *Reinvenções da intimidade: Políticas do sofrimento cotidiano.* São Paulo: UBU, 2017, p. 281.

[23] Charles BOXER. *A Igreja militante e a expansão ibérica: 1440-1770.* São Paulo: Companhia das Letras, 2007, p. 128.

[24] Fernando PESSOA. *Aforismos e afins.* São Paulo: Companhia das Letras, 2006, p. 56.

[25] Hubert LEPARGNEUR. Ciência e descrença hoje. *Revista Eclesiástica Brasileira*, Petrópolis, RJ, n. 253, v. LXIV, p. 53-74, jan. 2004.

Capítulo 5

[1] Paolo PRODI. *Uma história da justiça.* São Paulo: Martins Fontes, 2005, p.18.

[2] Idem, p. 18.

[3] Idem, p. 19.

[4] É o termo substituído por *Ekklesia* na Septuaginta (a tradução grega do Primeiro Testamento judaico).

[5] J.J. von ALLMEN. *O culto cristão: Teologia e prática.* São Paulo: ASTE, 2005, p. 42.

192 Brasil polifônico

[6] Jürgen Roloff. *A Igreja no Novo Testamento*. São Leopoldo: Sinodal, 2005, p. 32.

[7] Aristóteles. "Metafísica", I, 3. 983 b 6 (DK 11 a 12) in: *Os Pré-Socráticos: Fragmentos, doxografia e comentários*. São Paulo: Nova Cultural, 1996, p. 40.

[8] Marilena Chauí. *Introdução à história da filosofia: Dos pré-socráticos a Aristóteles. Vol. 1*. São Paulo: Companhia das Letras, 2002, p. 39-40.

[9] Platão. *Apologia de Sócrates*. São Paulo: EDIPRO, 2015, p. 37.

[10] Jacques Le Goff. *O Deus da Idade Média: Conversas com Jean-Luc Pouthier*. Rio de Janeiro: Civilização Brasileira, 2010, p. 95.

[11] Antônio Henriques Leal. *Apontamentos para a história dos jesuítas no Brasil*. Brasília: Senado Federal, 2012, p. 21.

[12] Fábio Konder Comparato. *Ética: Direito, moral e religião no mundo moderno*. São Paulo: Companhia das Letras, 2006, p. 169.

[13] Antônio Carlos Wolkmer. "Cultura jurídica moderna, humanismo renascentista e Reforma Protestante". *Sequência*, Florianópolis, n. 50, p. 9-27, jul. 2005.

[14] Marcelo Campos Galuppo. *Igualdade e diferença: Estado democrático de direito a partir do pensamento de Habermas*. Belo Horizonte: Mandamentos, 2002, p. 67.

[15] Quentin Skinner. *As fundações do pensamento político moderno*. São Paulo: Companhia das Letras, 1996, p. 294.

[16] Lucien Paul Victor Febvre. *Martinho Lutero: Um destino*. Lisboa: Edições ASA, 1994, p. 90.

[17] *Op. cit.*, p. 294.

[18] Michel Villey. *A formação do pensamento jurídico moderno*. São Paulo: Martins Fontes, 2005, p. 310.

[19] Idem, p. 310.

[20] Idem, p. 315.

[21] Gustav RADBRUCH. *Filosofia do Direito*. São Paulo: Martins Fontes, 2004, p. 142.

[22] A. KAUFMANN e W. HASSEMER. (orgs.). *Introdução à filosofia do Direito e à teoria do Direito contemporâneas*. Lisboa: Fundação Calouste Gulbenkian, 2002, p. 82.

[23] Michael G. BAYLOR. *The Radical Reformation*. Cambridge: Cambridge University Press, 2008, p. XVIII.

[24] Luis Felipe MIGUEL. *O nascimento da política moderna*. Brasília: Editora UnB, 2007, p. 109.

[25] Idem, p. 110.

[26] Alderi Souza de MATOS. *Fundamentos da teologia histórica*. São Paulo: Mundo Cristão, 2008, p. 160.

[27] Armando Araújo SILVESTRE. *Calvino e a resistência ao Estado*. São Paulo: Editora Mackenzie, 2003, p. 158.

[28] J. M. VORSTER. "Calvin and Human Rights" in: *The Ecumenical Review*, Oxford, vol. 51, issue 2, abr. 1999.

[29] João CALVINO. *Instituições da religião cristã. Tomo 1*. São Paulo: UNESP, 2008, p. 350.

[30] Idem, p. 262-263.

[31] David VANDRUNEN. "The Context of Natural Law: John Calvin's Doctrine of the Two Kingdoms" in: *Journal of Church and State*, Oxford, vol. 46 (3), summer, 2004.

[32] *Op. cit.*, p. 337.

[33] *Op. cit.*, p. 340.

[34] Robert D. LINDER. "Calvinism and Humanism: The First Generation". *Church History*, Cambridge, vol. 44, n. 2, p. 167-181, jun. 1975.

[35] *Op. cit.*, p. 342.

194 Brasil polifônico

[36] John Witte Jr. *The Reformation of Rights: Law, Religion and Human Rights in Early Modern Calvinism.* Cambridge: Cambridge University Press, 2007, p. 76.

[37] *Op. cit.*, p. 161.

[38] Fábio Konder Comparato. *Ética: Direito, moral e religião no mundo moderno.* São Paulo: Companhia das Letras, 2006, p. 152.

[39] *Op. cit.*

[40] *Op. cit.*

[41] Fernando Rey Martínez. *La ética protestante y el espíritu del constitucionalismo: la impronta cavinista del constitucionalismo norteamericano.* Bogotá: Universidade Externado de Colombia, 2003, p. 52.

[42] *Op. cit.*, p. 80.

[43] André Biéler. *A força oculta dos protestantes.* São Paulo: ECC, 1999, p. 85.

[44] Edmund S. Morgan. "The Puritan Ethic and the American Revolution" in: *The William and Mary Quarterly*, Williamsburg, Virginia, Third Series, vol. 24, n. 1, jan. 1967.

[45] *Op. cit.*, p. 178.

[46] *Op. cit.*, p. 84.

[47] Sandford Kessler. "Tocqueville's Puritans: Christianity and the American Fouding", in: *The Journal of Politics*, Cambridge, vol. 54, n. 3, ago. 1992, p. 779.

[48] Alister McGrath. *Teologia sistemática, histórica e filosófica.* São Paulo: Shedd, 2005, p. 117.

[49] Leland Ryken. *Santos no mundo: Os puritanos como eram.* São José dos Campos: Fiel, 1992, p. 221.

[50] Max Weber. *A ética protestante e o "espírito" do capitalismo.* São Paulo: Companhia das Letras, 2004, p. 30.

[51] Segundo Rey Martínez, a ênfase puritana sobre instituições e práticas públicas pode ser vista, por exemplo, "nas orações que abrem as sessões de diversas câmaras legislativas, na promessa de lealdade a Nação 'debaixo de Deus', na invocação que abre os procedimentos judiciais ('Deus salve os Estados Unidos e este honrável tribunal'), nas festas de Natal e no Dia de Ação de Graças, no Dia Nacional de Oração (proclamado pela primeira vez pelo Congresso Continental, em 1775, para enfatizar a dependência de Deus como elemento essencial para a promoção da moralidade e da piedade, sem as quais a felicidade ou o livre governo não poderiam nunca ser alcançados, como afirmou John Adams), no lema nacional ('*In God We Trust*', ["Em Deus confiamos"], que aparece na moeda americana), nos símbolos religiosos dos escudos de alguns estados, na validade das canções de Natal em escolas públicas, no uso da expressão 'no ano de nosso Senhor' em determinados documentos públicos, na oração prévia aos discursos inaugurais dos presidentes (um eco da liturgia de coroação dos reis ingleses), etc." (*Op. cit.*, p. 110).

[52] Joshua MILLER. "Direct Democracy and the Puritan Theory of Membership". *The Journal of Politics*, Cambridge, vol. 53, n. 1, fev. 1991.

[53] *Op. cit.*, p. 34.

[54] Gerhard T. ALEXIS. "Jonathan Edwards and the Theocratic Ideal". *Church History*, Cambridge, vol. 35, issue 3, set. 1966, p. 329.

[55] Segundo Rey Martínez, o objetivo básico da colonização na América era a rentabilidade econômica. Para alcançar esse objetivo, a monarquia encarregava os aventureiros colonizadores, as companhias mercantis e os lordes proprietários de

196 Brasil polifônico

promover a plantação em uma colônia por meio das escrituras comerciais (*charters*), títulos exclusivos sobre as terras, com numerosas imunidades e privilégios, incluindo o autogoverno. Tais escrituras constituem uma técnica jurídica por meio da qual se desenvolveu a colonização inglesa da América do Norte. Havia três tipos de escrituras: as relacionadas aos comerciantes e às companhias mercantis (*corporate charter*), as relacionadas às propriedades rurais (*propietary charter*) e as relacionadas às colônias que dependiam diretamente da Coroa inglesa (*royal charter*). Especialmente as escrituras concedidas às companhias mercantis cumpriram um papel fundamental na emergência e configuração da vida americana. O poder das companhias incluía autoridade governamental e legislativa sobre qualquer assunto, desde que não contrariassem às leis da Inglaterra. Contudo, pelo fato de as companhias estarem muito distantes da Inglaterra, e de os ingleses estarem envolvidos em guerras civis, os colonos tiveram considerável liberdade para resolver os próprios assuntos.

[56] *Op. cit.*, p. 280.

[57] Harold Taylor. "Democracy or Puritanism". *The Journal of Philosophy*, Hanover, vol. 42, n. 20, set. 1945, p. 538.

[58] Timothy H. Breen. Stephen Foster. "The Puritans' greatest achievement: A study of social cohesion in Seventeenth-Century Massachusetts". *The Journal of American History*, Bloomington, vol. 60, n. 1, jun. 1973.

[59] Joshua Miller. "Direct Democracy and the Puritan Theory of Membership". *The Journal of Politics*, Cambridge, vol. 53, n. 1, fev. 1991.

[60] James F. Cooper Jr. "Higher Law, Free Consent, Limited Authority: Church Government and Political Culture in

Seventeenth-Century Massachusetts", in: *The New England Quarterly*, Boston, vol. 69. n. 2, jun. 1996, p. 206.

[61] *Op. cit.*, p. 784.

[62] Benjamin Franklin apresentou o plano durante o Congresso de Albany, realizado por ocasião da Guerra Franco-Indígena, na qual Inglaterra e França disputavam terras ao oeste do território americano. A proposta de Franklin era a união das colônias, em favor da expulsão dos franceses e da defesa dos índios. O plano previa a nomeação de um presidente executivo pelo rei. Ele seria responsável pela preparação militar e pela manutenção de leis fiscais e comerciais.

[63] *Op. cit.*, p. 13.

[64] Lucas Daniel Alves NUNES. *Evolução histórica e filosófica da doutrina da tolerância religiosa.* Monografia (conclusão de curso). Faculdade de Direito, Universidade Federal de Minas Gerais, Belo Horizonte, 2011, p. 30-33.

[65] Disponível em: <http://www.senado.gov.br/atividade/const/con1988/con1988_12.07.2016/art_5_.asp>. Acesso em: 12 de jan. de 2018.

[66] RIVERO; MOUTOUH, p. 539.

Capítulo 6

[1] Enia Cecilia BRIQUET. *Manual de mediação: Teoria e prática na formação do mediador.* Petrópolis: Vozes, 2016, p. 47.

[2] INSTITUTO BRASILEIRO DE GEOGRAFIA E ESTATÍSTICA. *Atlas do Censo Demográfico 2010 — Diversidade Cultural: Religião.* Disponível em: <https://censo2010.ibge.gov.br/apps/atlas/pdf/Pag_203_Religi%C3%A3o_Evang_miss%C3%A3o_Evang_pentecostal_Evang_nao%20determinada_Diversidade%20cultural.pdf>. Acesso em: 19 de out. de 2017.

[3] Ana Cristina CESAR. *Poética*. São Paulo: Companhia das Letras, 2013, p. 212.

[4] Pero Vaz de CAMINHA. "Carta de Pero Vaz de Caminha a El-Rei D. Manuel sobre o achamento do Brasil" in: Luiz RONCARI. *Literatura brasileira: dos primeiros contistas aos últimos românticos*. São Paulo: Editora da Universidade de São Paulo, 2014, p. 38.

[5] Pero Vaz de CAMINHA . *A carta de Pero Vaz de Caminha — Adaptação à linguagem atual de Jaime Cortesão*. São Paulo: Martin Claret, 2005.

[6] Dietrich BONHOEFFER. *Discipulado*. São Paulo: Mundo Cristão, 2016, p. 62.

[7] AGOSTINHO. *A doutrina cristã: Manual de exegese e formação cristã*. São Paulo: Paulus, 2002, p. 53.

[8] Jacques LE GOFF. *O Deus da Idade Média: Conversas com Jean-Luc Pouthier*. Rio de Janeiro: Civilização Brasileira, 2010, p. 26.

[9] John STOTT. *Cristianismo autêntico*. São Paulo: Vida, 2006, p. 479.

[10] Jean-Michel FONTANIER. *Vocabulário latino da filosofia*. São Paulo: Martins Fontes, 2007.

[11] André COMTE-SPONVILLE. *Pequeno tratado das grandes virtudes*. São Paulo: Martins Fontes, 2010, p. 153.

[12] Paul GILBERT. "O mal e a violência" in: Ibraim Vitor de OLIVEIRA. Márcio Antônio PAIVA. *Violência e discurso sobre Deus*. São Paulo: Paulinas; Belo Horizonte: PUC Minas, 2010, p. 23.

[13] *Op. cit.*, p. 23.

[14] Eduardo GIANETTI. *Trópicos utópicos: Uma perspectiva brasileira da crise civilizatória*. São Paulo: Companhia das Letras, 2016, p. 41.

[15] Amós Oz. *Como curar um fanático*. São Paulo: Companhia das Letras, 2016, p. 79.

[16] Fernando Henrique CARDOSO. *Xadrez internacional e social-democracia*. São Paulo: Paz & Terra, 2010, p. 129.

[17] Tzvetan TODOROV. *O espírito das Luzes*. São Paulo: Barcarolla, 2008, p. 88.

[18] *Op. cit.*, 2008, p. 95.

[19] J.V. CASSERLEY. *Absence du Christianisme: l'Apostasie du monde moderne*. Paris: Desclée de Brouwer, 1957, p. 58.

[20] John BYL. *Deus e cosmos: Uma visão cristã do tempo, do espaço e do universo*. São Paulo: PES, 2003, p. 18-19.

[21] Igor MIGUEL. "Ensino religioso em escolas públicas" in: *Portal Ultimato*. Disponível em: <http://www.ultimato.com.br/conteudo/ensino-religioso-em-escolas-publicas-confessionalidade-e-laicidade>. Acesso em: 28 de nov. de 2017.

[22] Norberto BOBBIO. *O futuro da democracia*. São Paulo: Paz & Terra, 2015, p. 43.

[23] Cristiana Buarque de HOLLANDA. *Teoria das elites*. Rio de Janeiro: Zahar, 2011, p. 9.

[24] Manuel ATIENZA. *As razões do Direito: Teorias da argumentação jurídica*. São Paulo: Landy, 2000, p. 18.

[25] Manuel ATIENZA. *As razões do Direito: Teorias da argumentação jurídica*. São Paulo: Landy, 2000, p. 18.

[26] Richard RORTY. *Uma ética laica*. São Paulo: Martins Fontes, 2010, p. 20.

[27] Jürgen HABERMAS. *Fé e saber*. São Paulo: Unesp, 2013, p. 15.

[28] *Op cit.*, p. 16.

[29] *Op cit.*, p. 16.

[30] Frank CUNNINGHAM. *Teorias da democracia*. Porto Alegre: Artmed, 2009, p. 230.

[31] Amós Oz. *Como curar um fanático*. São Paulo: Companhia das Letras, 2016, p. 69.

[32] Carlos Drummond de ANDRADE. *Sentimento do mundo*. São Paulo: Companhia das Letras, 2012, p. 45.

[33] INSTITUTO BRASILEIRO DE GEOGRAFIA E ESTATÍSTICA. *Conheça estados e cidades do Brasil*. Disponível em: <https://cidades.ibge.gov.br/pesquisas>. Acesso em: 10 de out. de 2017.

[34] INSTITUTO DE PESQUISA DE RELAÇÕES INTERNACIONAIS. *As 15 maiores economias do mundo*. Disponível em: <http://www.funag.gov.br/ipri/index.php/o-ipri/47-estatisticas/94-as-15--maiores-economias-do-mundo-em-pib-e-pib-ppp>. Acesso em: 10 de out. de 2017.

[35] Marcelo LEITE. *A floresta amazônica*. São Paulo: Publifolha, 2001, p. 30.

[36] Sérgio ABRANCHES. *A era do imprevisto: A grande transição do século XXI*. São Paulo: Companhia das Letras, 2017, p. 64.

[37] R. C. SPROUL. *Qual é a relação entre Igreja e Estado?* São José dos Campos: Fiel, 2014, p. 14.

[38] Gustavo URIBE. Disponível em: <http://www1.folha.uol.com.br/mundo/2016/10/1828058-guterres-defende-que-brasil-assuma-papel-de-dialogo-em-conflitos-globais.shtml>. Acesso em: 20 de out. de 2017.

[39] Rafael Urano FRAJNDLICH. "Rastros do horizonte". In: *Contravento 6*. Abril 2015. São Paulo: Secretaria da Cultura do Governo do Estado de São Paulo, p. 55.

Conclusão

[1] Aline RIBEIRO (et al). "O poder do voto evangélico". *Época*. 21 de set de 2014. Disponível em: http://epoca.globo.com/tempo/

eleicoes/noticia/2014/09/o-poder-do-bvoto-evangelicob. html. Acesso em: 26 de mai de 2017.

[2] Joaquim NABUCO. *Minha formação*. São Paulo: Editora 34, 2012, p. 188.

SOBRE O AUTOR

Davi Lago é mestre em Teoria do Direito e graduado em Direito pela PUC-MG. É pesquisador do Instituto Pensando o Brasil e pastor batista. Publica artigos regularmente em seu *website* (www.davilago.com). É casado com Natália e pai de Maria.

Conheça outras obras de
Davi Lago

- Formigas — com William Douglas

Veja mais em:

Compartilhe suas impressões de leitura escrevendo para:
opiniao-do-leitor@mundocristao.com.br
Acesse nosso *site*: www.mundocristao.com.br

Equipe MC:	Maurício Zágari (editor)
	Heda Lopes
	Natália Custódio
Diagramação:	Triall Editorial Ltda
Gráfica:	Geográfica
Fonte:	Minion Pro
Papel:	Pólen Soft 70 g/m² (miolo)
	Cartão 250 g/m² (capa)